75th OKITEN EXHIBITION 2024

絵画 / 版画 / 彫刻 / グラフィックデザイン / 書芸
写真 / 陶芸 / 漆芸 / 染色 / 織物 / ガラス / 木工芸

第75回「沖展」

うりずんの季節を迎え、今年も春を彩る美の祭典として「沖展」を開催できますことを主催者として大変嬉しく思います。

「沖展」は、沖縄戦で荒廃した郷土再建のため、文化の力で県民を支えようと、1949年7月に沖縄タイムス創刊1周年を記念して開かれたのが始まりです。当初は春休みの期間に那覇市内の学校の校舎を借りて、転々と会場を移していた沖展ですが、第40回からは浦添市、浦添市教育委員会の深いご理解ご協力のもと、浦添市民体育館(ANA AREANA 浦添)を開催地として、35年目を迎えます。今年から浦添運動公園の新施設整備工事のため、来場者の皆様にはご不便をおかけしますが、沖展の継続開催に多大なご配慮をいただき例年通り開催できますことに感謝申し上げます。

また、沖展はその歩みの中で、重要無形文化財保持者(人間国宝)、現代の名工、新進気鋭の美術工芸家など、国内外で活躍する人材を多数輩出してきました。2023年には、織物部門の沖展会員である祝嶺恭子さんが「首里の織物」で人間国宝に認定されました。沖展会員からの人間国宝は陶芸部門の金城次郎さんから数えて6人目となります。

今回は一般の部に784点(659人)の応募があり、厳正な審査を経て514点(480人)の入賞入選作品が決まりました。会員および準会員の作品と合わせて、合計724点(681人)の作品を一堂に展示します。多彩な表現と豊かな創造性をお楽しみ下さい。

結びに、沖展の運営に尽力されました各部門の会員・準会員の皆様をはじめ、会場を提供いただいている浦添市、浦添市教育委員会、沖展選抜展を主催運営しているうるま市教育委員会、ご協賛のオリオンビール株式会社、e-no株式会社、沖縄食糧株式会社、株式会社かりゆし、光文堂コミュニケーションズ株式会社、「沖展みんなの1点賞」企画協力の日本トランスオーシャン航空株式会社、後援団体の各位、そして渾身の力作をご出品頂いた皆さまに心より感謝申し上げます。

沖縄タイムス社

第75回 沖展会場案内図

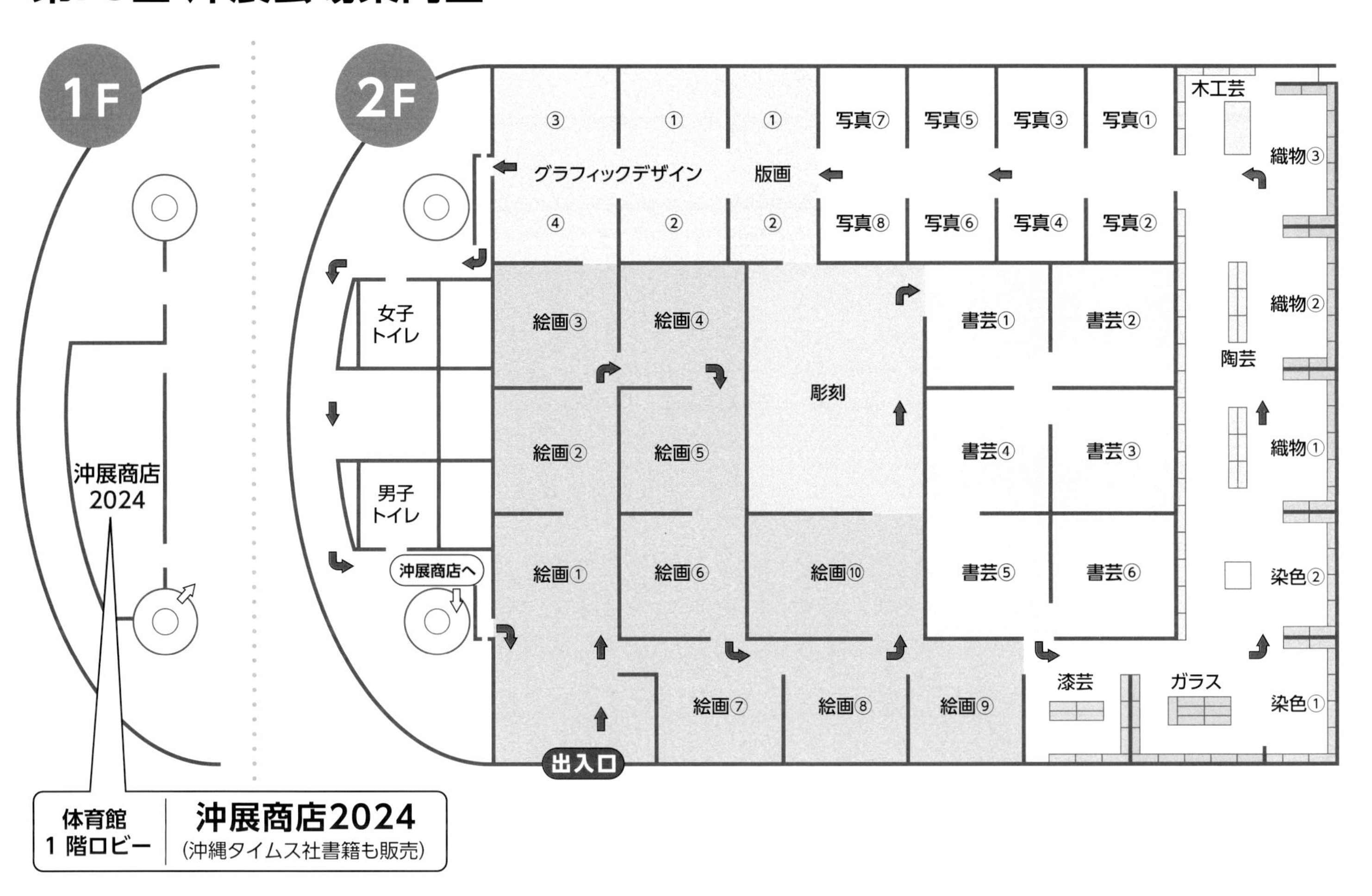

第75回「沖展」審査結果

部門	一般応募										準会員					会員				総合計	
	応募点数	(人数)	沖展賞	奨励賞	浦添市長賞	うるま市長賞	e-no新人賞	入選	計		応募点数	(人数)	準会員賞	他展示数	計	会員点数	(人数)	特別展示	計	総展示数	(総人数)
絵画	114点	(114人)	1	3	1	1	1	67	74点	(74人)	16点	(16人)	2	14	16点	25点	(25人)		25点	115点	(115人)
版画	12点	(9人)	0	1	1	1	1	7	11点	(9人)	1点	(1人)	1	0	1点	8点	(8人)		8点	20点	(18人)
彫刻	20点	(17人)	1	2	1	1	1	12	18点	(17人)	4点	(4人)	0	4	4点	11点	(10人)		11点	33点	(31人)
グラフィックデザイン	28点	(20人)	1	2	1	1	1	16	22点	(17人)	9点	(6人)	1	8	9点	8点	(6人)	1	9点	40点	(30人)
書芸	273点	(273人)	1	4	1	1	1	195	203点	(203人)	26点	(26人)	2	24	26点	35点	(35人)		35点	264点	(264人)
写真	212点	(117人)	1	2	1	1	0	67	72点	(57人)	7点	(6人)	0	7	7点	9点	(9人)		9点	88点	(72人)
陶芸	59点	(49人)	1	2	1	1	1	48	54点	(48人)	6点	(5人)	1	5	6点	8点	(8人)		8点	68点	(61人)
漆芸	9点	(9人)	1	1	1	1	0	5	9点	(9人)	1点	(1人)	1	0	1点	6点	(6人)		6点	16点	(16人)
染色	10点	(10人)	0	1	1	1	0	7	10点	(10人)	2点	(2人)	0	2	2点	5点	(5人)		5点	17点	(17人)
織物	14点	(14人)	0	4	1	1	0	4	10点	(10人)	2点	(2人)	2	0	2点	9点	(9人)		9点	21点	(21人)
ガラス	21点	(17人)	0	1	1	1	1	17	21点	(17人)	4点	(3人)	1	3	4点	1点	(1人)	1	2点	27点	(22人)
木工芸	12点	(10人)	1	2	1	1	1	4	10点	(9人)	2点	(2人)	2	0	2点	2点	(2人)	1	3点	15点	(14人)
合計	784点	(659人)	8	25	12	12	8	449	514点	(480人)	80点	(74人)	13	67	80点	127点	(124人)	3	130点	724点	(681人)

第75回「沖展」の日程

■会　期：2024年3月23日(土)～4月7日(日)　午前10時～午後6時(入場は午後5時30分まで)
■会　場：ANA ARENA 浦添(浦添市民体育館)
●開会式：3月23日(土)午前9時30分　ANA ARENA 浦添 会場入口
●表彰式：3月31日(日)午後4時　アイム・ユニバースてだこホール 大ホール
●合同祝賀会：3月31日(日)午後6時　アイム・ユニバースてだこホール 市民交流室
※みんなの1点賞投票期間：3月23日(土)～4月3日(水)まで
●みんなの1点賞表彰式：4月 7日(日)午後1時30分　ANA ARENA 浦添 1階・沖展事務局
※書芸部門作品展示　前期：3月23日(土)～30日(土)／後期：3月31日(日)～4月7日(日)

第47回沖展選抜展

■会　期：2024年4月12日(金)～17日(水)　午前10時～午後7時
■会　場：うるま市生涯学習・文化振興センター「ゆらてく」(入場無料)

関連催事／作品解説会

日　程		ワークショップ等	作品解説会(各展示室)
3月23日	(土)	14:00～カナクリーで作るタペストリー(彫刻部門)	10:30～写真(出品者向け) 13:00～グラフィックデザイン 14:00～書芸(前期) 15:30～写真(来場者向け)
3月24日	(日)	10:30～シルク印刷体験(版画部門)	10:30～染色 13:00～絵画 14:30～織物 15:00～版画
3月25日	(月)		
3月26日	(火)		
3月27日	(水)	14:00～写真添削教室(写真部門)	
3月28日	(木)		
3月29日	(金)	13:30～/15:30～工芸品でテーブルコーディネート講座 ※てだこホール多目的室　※要問合せ	
3月30日	(土)	10:30～書のどうぶつえんとすいぞくかん(書芸部門) 14:00～陶芸教室(陶芸部門)	11:00～木工芸 13:30～彫刻 15:00～ガラス
3月31日	(日)		11:00～陶芸 13:00～織物 14:00～漆芸
4月1日	(月)		
4月2日	(火)		
4月3日	(水)		
4月4日	(木)		
4月5日	(金)		13:00～書芸(後期)
4月6日	(土)		
4月7日	(日)		

(注) 上記日程は都合により変更の場合があります。

75th OKITEN EXHIBITION 2024

絵画 / 版画 / 彫刻 / グラフィックデザイン / 書芸 写真 / 陶芸 / 漆芸 / 染色 / 織物 / ガラス / 木工芸

CONTENTS

※会員、準会員、入賞、入選氏名は五十音順

絵画部門

総評ー鎮西　公子（会員）

第75回沖展絵画部門は一般応募点数114点（U30・U20の17人含む）。入選74点から37点の賞候補者を選出、そこから何段階もふるいにかけられ最終的に沖展賞1、奨励賞3、浦添市長賞1、うるま市長賞1、e-no新人賞1の作品を決定した。準会員は16点の作品応募となった。どの作品も力作揃いで準会員賞の選出に時間を要した。特記事項として今年から出品最小サイズを30号以上に規定した。その事でボツになる作品は少なくなったように思う。ただ昨年より応募点数6点減少は残念でならない。

正評は別頁で掲載されているので省き、ここでは特別賞のみ記す。

浦添市長賞の叶秀樹さんの《theater》は作者独自の人物表現がユニークで楽しい。不思議な空間とその世界観を見事に演出した。これからの展開を期待する。うるま市長賞の与那覇俊さん《超練習法⑤（sport編）》は飽くなき迷路のような世界をどこまでも掘り下げて描き切った。現代を象徴する出来事をペン1本で訴えたモダンアート、根気のいる仕事だ。新人の登竜門であるe-no新人賞は16歳の城間キノネさん《奇宅ラッシュな怪速メトロ》で摩訶不思議な寓話的世界を若者らしいリアルなタッチで見事に表現した。今後の活躍が楽しみだ。

作品を通して1年振りに作家達と出会うのは嬉しいしワクワクさせられる。反面いつもの作家が出品していない事を知ると寂しい。そして何より嬉しいのは新人の登場だ。それらが沖展の醍醐味でもある。全体的に言える事は、作品に向かう姿勢が素晴らしく完成度の高い作品が多かった。その分アカデミック的傾向の作品が多くなった。欲を言えば「冒険心」と「変化」がこれからの課題だ。今後さらなる作品追求との発展を期待する。

会員作品

赤いカーディガンの女——赤嶺正則
Untitled——池原優子
ラブ・カラハーイ(愛の羅針盤)——ウエチヒロ
向日葵(ひまわり)の声——大城譲
風景の中で——大浜英治
夏の終わり——金城進
NEO・風神雷神図屏風——金城幸也
鳥のように 2024——具志恒勇
浸食——具志堅誓謹
潮流のラビリンス——佐久本伸光
相一景——佐久本米子
きびの収穫(うーじとーし)——新垣正一
記憶の余白——砂川喜代
記憶の刻——知念秀幸
エレジー——鎮西公子
2024年2月1日 自画像——中島イソ子
赤瓦——並里幸太
景(23)——比嘉武史
ピンク・イエロー・ブルー——比嘉良二
黒い森——平川宗信
潮だまり——宮里昌信
茶色の大地——安元賢治
外から出る——山内盛博
「無何有の郷を考える」——与久田健一
大気の教える事——與那嶺芳恵

準会員賞

塊(カイ)——橋本弘德
I bu ki——山川さやか

準会員作品

平穏な日——赤嶺広和
何を見た——新崎多恵子
χの不安——いがわはるよし
記憶の風景——上原はま子
抗う——北山千雅子
何も恐れることなく良い年になるよう祈ろうよ
Without any fear Let's hope a good year——サンリー・ヨンツォ
沖縄の土——砂川恵光
ワシリティン ワシララン——知念盛一
是空——鶴見伸
風に誘われて波——仲程悦子
琉球帛画(はくが)——仁添まりな
窮屈——山城政子
風に住む——山田武
地相2024——與那覇勉

沖展賞

理不尽 —— 比屋根清隆

奨励賞

Venere triste（ベネーレトリステ） —— 石原美智子
私の居場所II —— 澤岻盛勇
彩海 —— 八木洋子

浦添市長賞

theater —— 叶秀樹

うるま市長賞

超練習法⑤（sport編） —— 与那覇俊

eno新人賞

奇宅ラッシュな怪速メトロ —— 城間キノネ

一般入選作品

廃屋 —— 赤嶺愼次
花の頃 —— 赤嶺美代子
瓶玉の宿 —— 東光二
異空間の彷徨 —— 新垣龍子
原世(げんよ) —— 伊芸匠志
OFF LIMITS —— 池原菊江
かがやき —— 石川豊子
家路 —— 伊是名吉明
白南風に奏でる —— 糸洲英子
春を仰ぐ Look up to spring —— 上田達大
蛇口のある風景 —— 上間賢一
怒涛 —— 大城勝美
追憶 —— 大城春信
秋立つ —— 大城裕
ニライカナイ —— 大田隆男
ぐすくのうたき —— 狩俣正
緑の地 —— 喜納祥子
陰影礼讃 —— 金城清子
縄文の魂動 —— 國吉清
Tomiko's Nightmares and Wishes —— Glenn Rabenitas
骸の市 —— 黒田唯斗
てぃ～だ（太陽） —— 崎原清子
幼き探索者達 —— 崎間千春
水の月 —— 崎山ハナエ
明日を謳う —— 佐久間フサ子
時 —— 島袋恵美子
生命、その根源 —— 下地邦敏
夏の光の睡蓮 —— ジョーダン・トニー
内なる声 —— 城間幸子
ある夏の日 —— 新城晴子
ALL YOU NEED IS LOVE —— 末次宏二美
Alive —— 砂川秀勝
november letter —— 平良咲乃
ファンタジー —— 嵩原武子
サキシマスオウノキ —— 玉城和明
デジャヴ —— 知名定充
記憶をたどる —— 知念悦子
「音」 —— 千葉友子
朝照らす —— 知花竜也
Diversity —— 津野さくら
なぎさの休日 —— 津波古政廣
ヒレーの浜 —— 桃原典之
シルエット —— 渡久地美智子
心もよう —— 渡久地利江子
うまくできたよ —— 鳥谷梓葉
つながる —— 仲座包子
祈のカタチ —— 仲宗根市子
再生の兆しが —— 仲宗根勇吉
地球のどこかで —— 長嶺末子
冬のおとずれを待つ立山高原 —— 仲本恵美子
なかゆくい —— 仲本潤一郎
先人たちのハーレー —— 西平賀雄
運河がある街の景色 —— 根路銘恵二
Holy〈聖なる〉 —— 比嘉順子
「沢を行く」 —— 比嘉巴
take it off !!! —— 比嘉理湖
おひるね —— 平田政則
ランドスケープ —— 前川麗香
初夏の里 —— 前田初枝
人色々 —— 眞栄田茂子
終(ツイ) —— 松田利男
木漏れ日 —— 宮里香
昼下がりのパークアベニュー —— 宮里政康
私のメルヘンから・・・PART94 —— 宮里ユキ子
悠久の時 —— 山内望起子
掻痒を蔽う —— 屋良美稀乃
古希・ウチナーンチュ・ウチナーと共に・・・!! —— 饒平名知健

きびの収穫(うーじとーし)　(200×140)
新垣　正一(会員)

2024年 2月 1日 自画像　(130×97)
中島　イソ子(会員)

夏の終わり　(145×210)　**金城　進**(会員)

赤いカーディガンの女　(178×146)
赤嶺　正則(会員)

NEO・風神雷神図屏風　(168×200) **金城　幸也**(会員)

潮流のラビリンス　(162×130)
佐久本　伸光(会員)

鳥のように 2024　(132×164) **具志　恒勇**(会員)

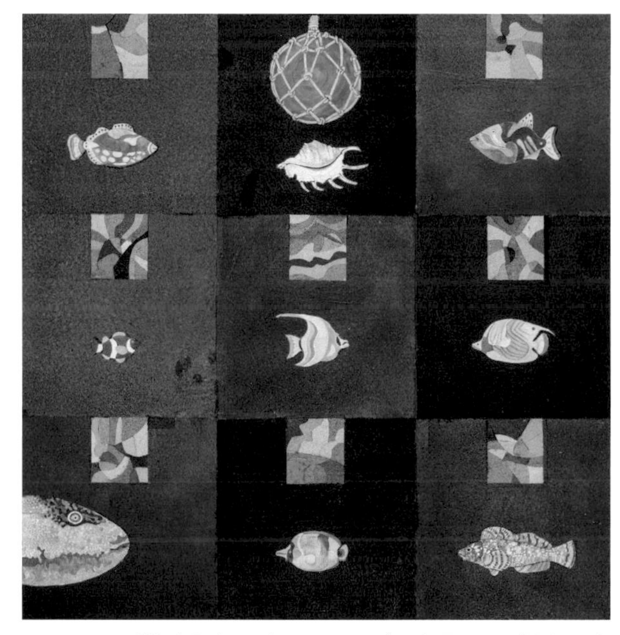

潮だまり　(162×162) **宮里　昌信**(会員)

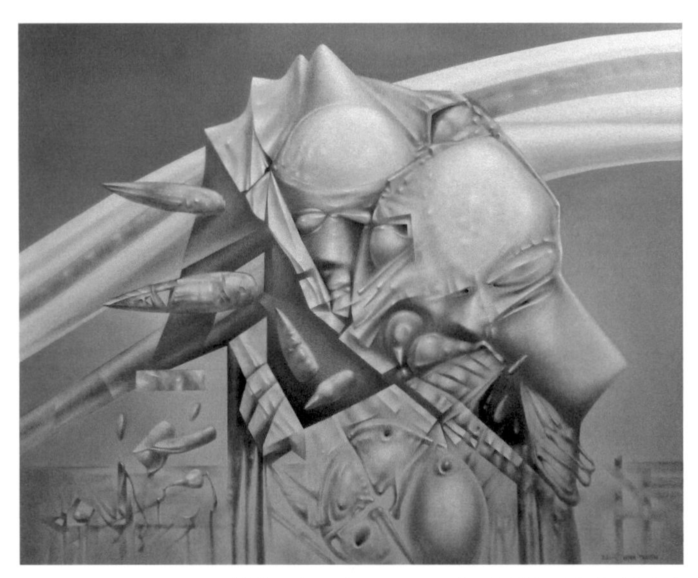

景(23)　(132×164) **比嘉　武史**(会員)

外から出る　(200×180) **山内　盛博**(会員)

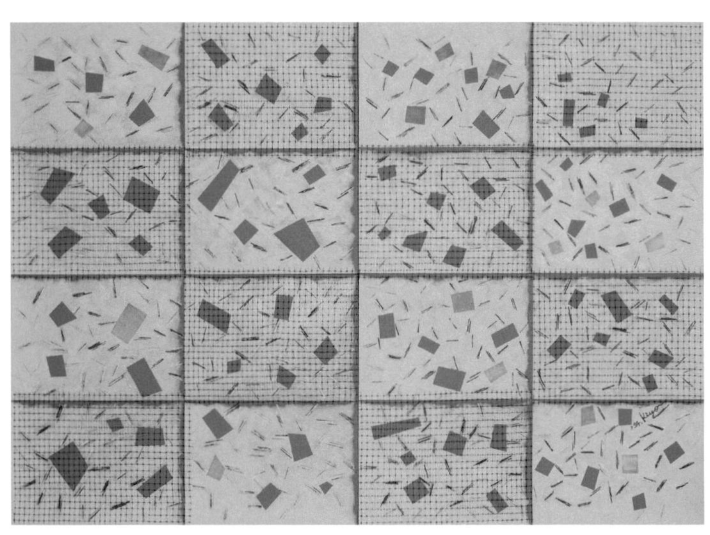

記憶の余白　(146×206) **砂川　喜代**(会員)

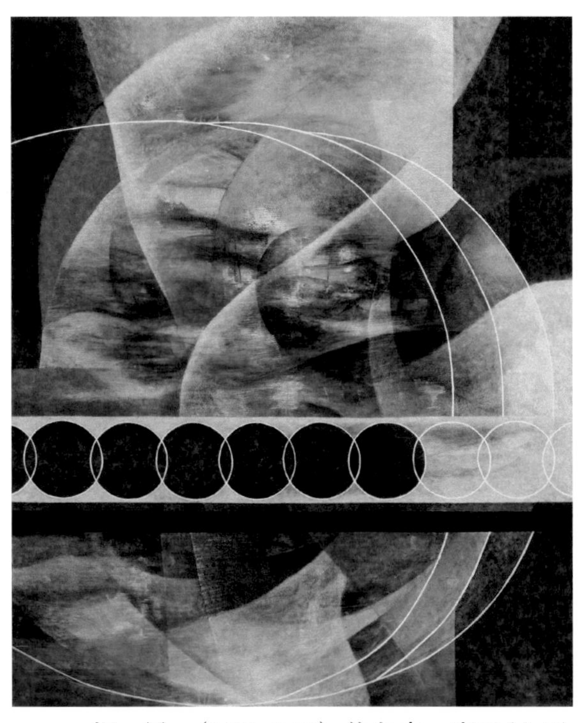

相一景　(172×142) **佐久本　米子**(会員)

ラブ・カラハーイ(愛の羅針盤) (166×132)
ウエチヒロ(会員)

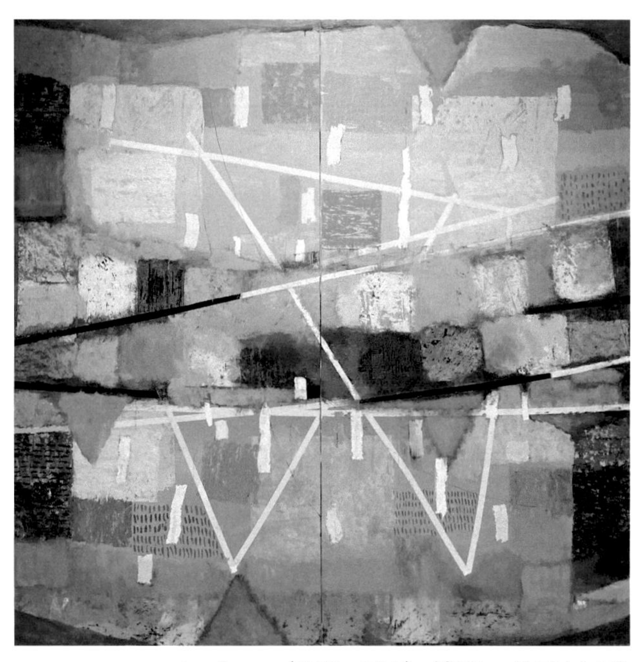

エレジー (200×200) **鎮西 公子**(会員)

ピンク・イエロー・ブルー (120×120)
比嘉 良二(会員)

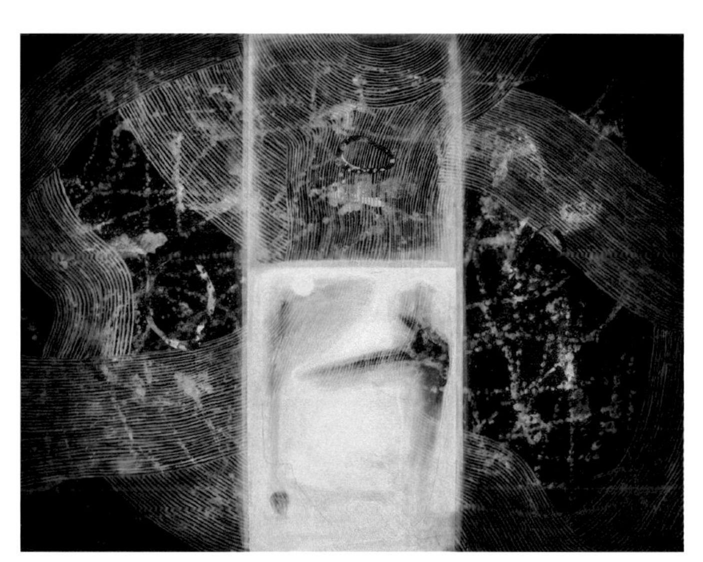

大気の教える事 (114×149) **與那嶺 芳恵**(会員)

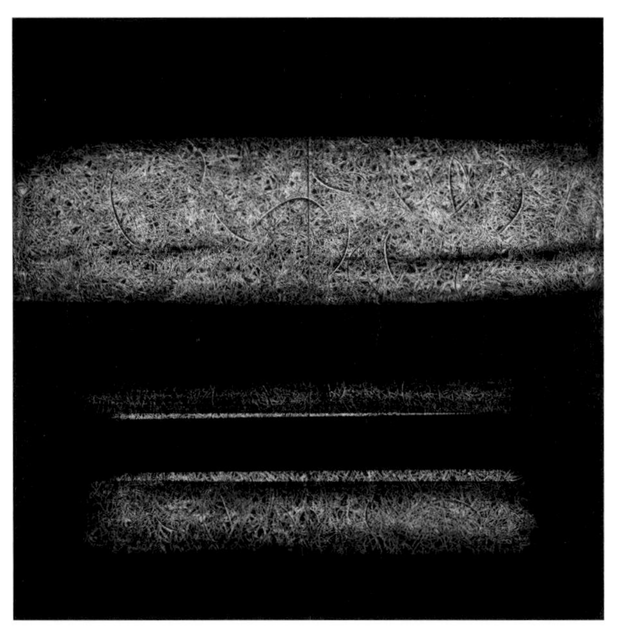

黒い森　(187×188) **平川　宗信**(会員)

向日葵(ひまわり)の声　(160×200) **大城　譲**(会員)

浸食　(73×103) **具志堅　誓謹**(会員)

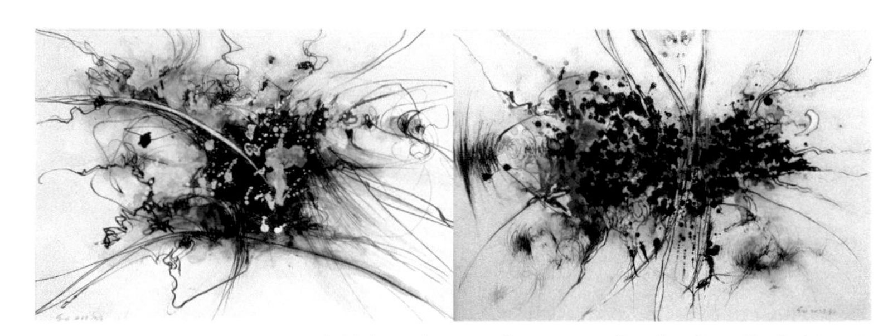

風景の中で　(53×136) **大浜　英治**(会員)

準会員賞

塊（カイ）　(194×130)　橋本　弘徳(準会員)

作者の以前の作品は、シャープなパースペクティブ（遠近画法）を使い、ブルーグリーンの透明感ある色彩の、工場跡と思えるモチーフで、さしずめ”失われゆくものの美”を描き出したものであった。

それが突如として、重々しい無彩色の空間、崩れ落ちる瓦礫状の形象へと変わった。同一作家と思えぬほどの変容・・・。

ほとばしる線や叩きつけるような荒々しいタッチは、現世界の戦争惨禍への憤りや、自然災害への痛みであろうか。

美しい画面を描ける作家があえてそれを取り払い、内面のメッセージ性を込めたであろうそのインパクトの強さが、今回の受賞評価のひとつでもあろうかと考える。

画面にかすかににじむ赤や青。残された希望かと思いたくなる。

会員推挙となった新たな場で、今後も変わらず、美への追求、メッセージの発信を強く期待したい。

評－大城　譲（会員）

準会員賞

I bu ki　(194×162)　山川　さやか(準会員)

アルファベットで表記されたタイトルの《I bu ki》からは、「いきづかい」や「呼吸」を意味する「息吹」が連想される。あるいは、大地に根を張り、太陽に向かって幹を伸ばし、炎のような枝ぶりの大木「イブキ」を思い浮かべる。水玉を配し、淡い色彩のパステルカラーでまとめられた大画面には、切り紙で表わされた植物の葉や蛇、龍を思わせる生命体が気泡を放ち、宙を舞うように円弧を描き、立ち昇ってくる。近年の山川の表現には、危険と隣り合わせの揺らいだ沖縄の現実や自身の体験を基にした輪廻転生のイメージを心象風景に重ね、平和への祈りや願いを込めてきた。今回の作品には、すべてのエネルギーの源ともいわれる今年の干支、龍に希望を込めた作家自身の強い意思や思いが伝わってくる。今後も、天に向かってそびえたつ生命力あるイブキの大木のように山川の作品も発展、上昇していくのだろう。

評－中島　イソ子（会員）

χの不安　(165×132) **いがわはるよし**(準会員)

何を見た　(150×182) **新崎　多恵子**(準会員)

平穏な日　(167×199) **赤嶺　広和**(準会員)

風に住む　(115×165) **山田　武**(準会員)

準会員作品

何も恐れることなく良い年になるよう祈ろうよ
Without any fear Let's hope a goodyear （135×189）
サンリー・ヨンツォ（準会員）

風に誘われて波 （185×185）**仲程 悦子**（準会員）

琉球帛画（はくが） （130×194）**仁添 まりな**（準会員）

沖縄の土 （185×185）**砂川 恵光**（準会員）

抗う　(200×136) **北山　千雅子**(準会員)

是空　(195×184) **鶴見　伸**(準会員)

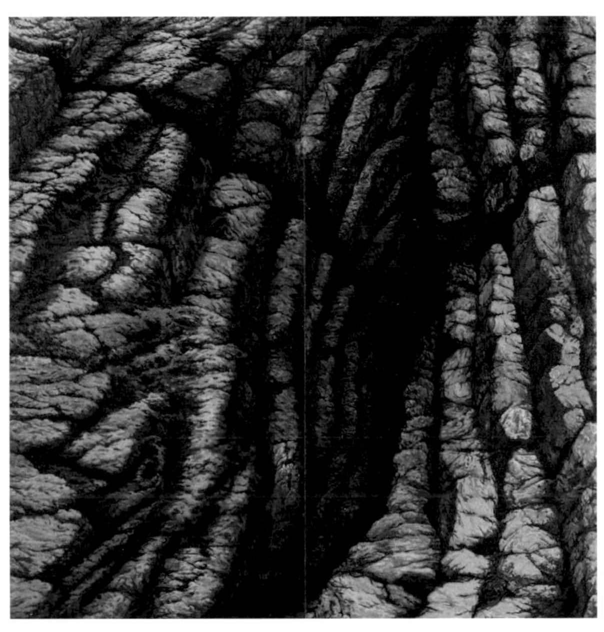

地相 2024　(177×175) **與那覇　勉**(準会員)

ワシリティン ワシララン　(190×192)
知念　盛一(準会員)

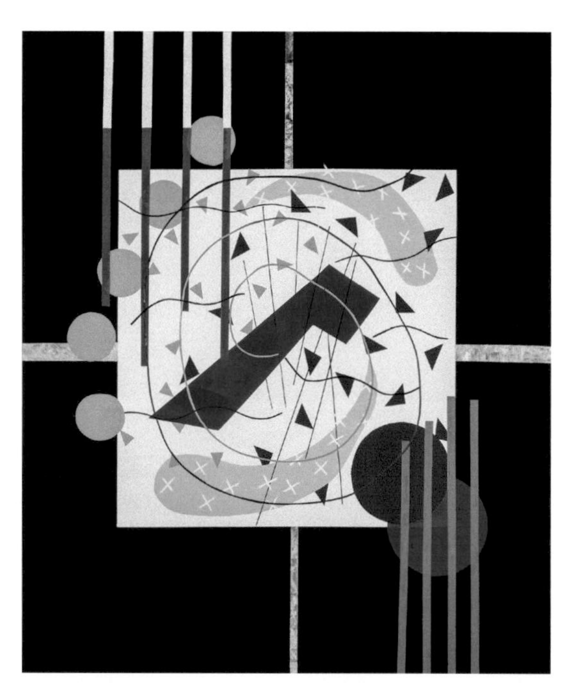

窮屈　(195×164) **山城　政子**(準会員)

記憶の風景　(200×137)
上原　はま子(準会員)

沖展賞

理不尽　(198×181) **比屋根　清隆**

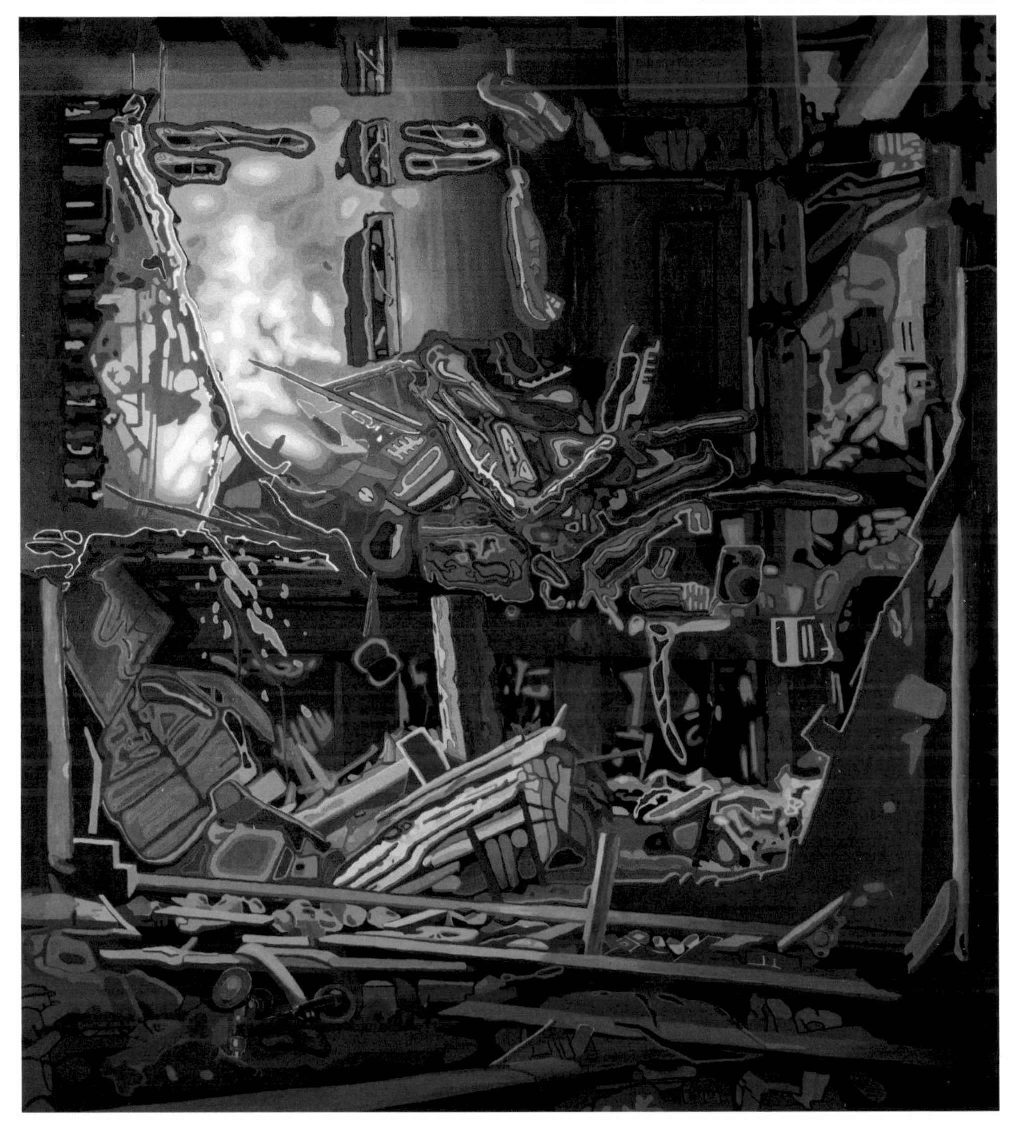

ほぼ正方形に近い大きな作品で、明暗の対比がきわめて強い。私の最初の印象は原発の炉心溶融のイメージと近未来風のシュール的な雰囲気が感じられたことである。タイトルは《理不尽》となっているが、「崩壊」と「不都合な真実」という言葉が頭に浮かんだ。現代物理学が生んだ原子力発電や核融合などのテクノロジー。ウクライナ戦争における現代兵器のすさまじい破壊力などさまざまな破壊と崩壊を想起させるが、作品の色調は深く美しく心の中に残る。もう一つの印象は20世紀美術に登場してきたシュールレアリズムにおける夢と現実の間に横たわる人間の不安心理という一面である。本来なら暴力的な激しい絵画表現となりそうだが、静かな空間の中で音もなくゆっくりと崩壊していく物体は美的に昇華されて見る者の不安感を呼び起こす。抽象表現を多く取り入れ、サルバドール・ダリやマグリットなどとは違う新たなシュール表現と言ってよい。次回作に期待したい作品である。

評－具志　恒勇（会員）

奨励賞

彩海　(196×164)
八木　洋子

画面全体に、伸びやかに広がる描線と中間色の爽やかな色彩のハーモニーが美しい。タイトルの《彩海》、その「彩りの海」にあるように海中の様々な生き物が「生」を謳歌し、水の中の卵胞らしき、完結しない有機的な丸の群舞が画面の奥へ、前へ、右と左へと揺らぐ。ベースのインディゴがフォルムと色彩を引き締め、画面の奥の広がりを造り出している。視る者を清々しい「喜び」という方向へ誘っているようだ。

世界の閉塞感が巨大な脅威となって私達の足元にじわり忍び寄る世情の只中にいて、砂漠の中の奇跡の緑を見る様な、或いは大気の酸素を肺の隅々まで吸い込んだ様な開放感がある。

絵画には、作者の深層心理や時事的な問題提起や日常風景の賛歌や昇華等のタイプがあるが、その根底には生きるうえでの悼みを呑み込み混沌を乗り越えた人の強さを感じる。八木さんの作品も、優しさと強さと深さが伴って展開された。これからの活動を期待します。

評ー與那嶺　芳恵（会員）

奨励賞

私の居場所Ⅱ　(165×133)
澤岻　盛勇

画面全体に静謐感がただよう。それは茶系で統一された色彩、細かく規則的で律儀な筆使いなどによるものだろう。またモチーフのほとんどは直線的な形態が選ばれ、垂直線と水平線の構成が多用されることで効果が強められている。中央に置かれた角イスは観る者に対し背を向けて配置され、画面への侵入を拒むようで寂しさを感じさせる。

絵のタイトルは《私の居場所Ⅱ》となっているが、そこには「私」が不在である。「私」が描き込まれれば「自画像」となるかもしれないが、「私」が描き込まれているかどうかにかかわらず生活感が欠如しているのである。ここは生活の場というより絵画制作のための空間ーアトリエなのだ。床に広げられた新聞は色彩と配置で画面に変化を与えるが、日々の情報を伝えるという本来の役割を失ったことの寓意ととることもできる。

日常から隔絶された空間で孤独に黙々と制作に打ち込む作者の姿が思い浮かぶ。

評ー山内　盛博（会員）

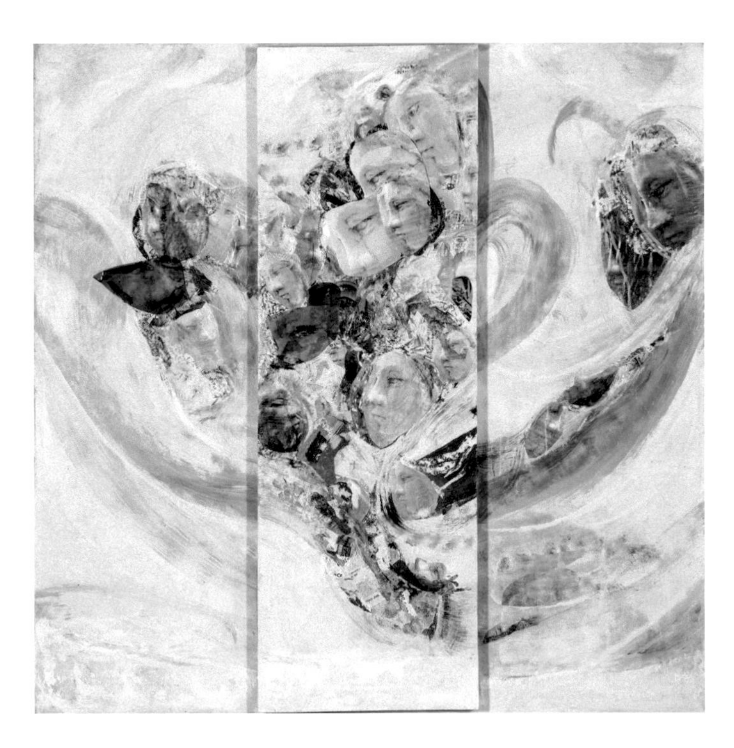

奨励賞

Venere triste〔ベネーレトリステ〕（182×183）
石原　美智子

奨励賞の石原美智子さんの作品は、まず悲しげないくつもの人の顔が印象的である。
平面的な画面の中央部分の半立体的な厚みのある所などが、大胆で新鮮な組み合わせになっている。
全体の白っぽい作品に重なり合っている紙、布、印画紙、フィルムなどもコラージュとして効果を上げている。なかでも憂い顔の仮面のようなビーナスの顔が面白いと思う。
アクリル絵具の荒々しいタッチの中に点在するやわらかな色彩も他のいろいろな貼り合わされた物とうまく溶け合っている。
いくつもの、そのビーナスの仮面は、遙か彼方の昔の遺跡のなかから、ふいに現代に現れて来たかのようにも思われ、たいへん興味深く感じられるのである。
ちなみにタイトルの《Venere triste》は作者によると、イタリア語で「ベネーレ トリステ」とよみ、憂うビーナスという意味のようです。

評－砂川　喜代（会員）

浦添市長賞

theater　（199×135）
叶　秀樹

うるま市長賞

超練習法⑤（sport編）（200×200）
与那覇　俊

e-no新人賞

奇宅ラッシュな怪速メトロ　（77×121）
城間　キノネ

版画部門

総評ー仲本　和子（会員）

第75回沖展版画部門は一般応募点数12点のうち、入選が7点、入賞が4点だった。

版画の種類は多種であり、表現も多様である。審査員もそれぞれの専門、もしくは得意とする分野をいくつか持っている。が、大抵基本的技法についても熟知している場合が多い。審査の基本は出品者の制作意図や、技術や表現力の豊かさ、構成、色彩、クオリティの高さは自ずと画面に出てくるものであり、審査も議論を重ね深めるなかで採決がなされる。

今回の受賞作品はいずれも並々ならぬ努力の痕跡が見られ、次回へのステップアップがしやすくなったのではないだろうか。緊張のなかにも楽しく作品作りに励むことができるといいと思う。

今回の受賞者は次の通りです。

沖展賞は該当者なし。

準会員賞は、池城安武《アヤパニ》シルクスクリーン。

奨励賞は、遠藤仁美《フユウー夜明、白日、夕暮ー》エッチング。

浦添市長賞は、安次嶺勝江《街の記憶(13-2)》木版画。

うるま市長賞は、新城善春《底地浜(石垣島)の黄昏》木版画、多色刷り。

e-no 新人賞は、新川絢音《ヒカンザクラとメジロ》シルクスクリーン。

以上5名の方が入賞しました。ほかに入選作でシルクスクリーンによる《闘鶏図》や、石膏版画の《deep breathing》は入賞に値する作品であったが、額やマット、アクリル板など画面保護のための規定が守られていなかったため惜しくも入選にとどまった。次回には改善を願いたい。

会員作品

COLOR-感性の形I——赤嶺　雅
Symphony——新崎竜哉
「時の景」ー秋ふかまる——大久保　彰
心景——神山泰治
「気」——喜舎場正一
Life and money——座喜味盛亮
Yui——仲本和子
景象 2024 C-2——比嘉良徳

準会員賞

アヤパニ——池城安武

奨励賞

フユウー夜明、白日、夕暮ー——遠藤仁美

浦添市長賞

街の記憶(13-2)——安次嶺勝江

うるま市長賞

底地浜(石垣島)の黄昏——新城善春

e-no新人賞

ヒカンザクラとメジロ——新川絢音

一般入選作品

崎枝(石垣島)の夕暮れ——新城善春
花——伊藤朝子
おひさまが降って——伊藤朝子
deep breathing——酒井織恵
のら——高江洲　萌
雨音——知名愛子
闘鶏図——並里幸太

Life and money　(28×28) **座喜味　盛亮**(会員)

COLOR–感性の形 I　(85.5×59.5)
赤嶺　雅(会員)

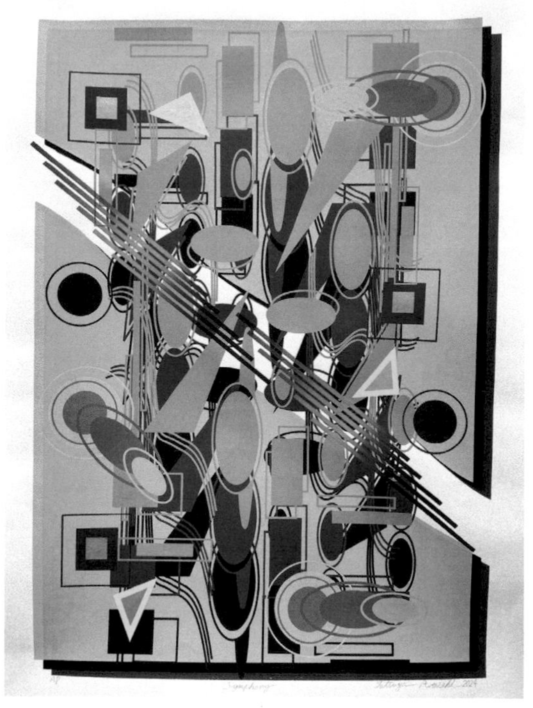

Symphony　(85.5×61.5) **新崎　竜哉**(会員)

景象 2024 C-2　(60×90) **比嘉　良徳**(会員)

「気」（53×83）**喜舎場　正一**(会員)

心景　（68×58）**神山　泰治**(会員)

「時の景」－秋ふかまる　（70×50）
大久保　彰(会員)

準会員賞

アヤパニ　(100×100) **池城　安武**(準会員)

池城安武さんは初出品から受賞し、注目された作家である。毎回作品の題材は、八重山の文化や自然にこだわって制作。版種はシルクスクリーンで巧みな技術を駆使した作品である。作品名《アヤパニ》は八重山方言で綾羽、美しい羽のことでカンムリワシの羽をさしている。過去にも「カンムリワシ」をテーマで縦長の大作を出品していた。今回の作品は正方形の画面で、如何にシンメトリーの構成に挑んだかが伺える作品である。金および銀のコントラストと灰色、黒色を巧みに配し、メインのカンムリワシの存在感を強調した堂々たる姿に圧倒される。特にバックのグレー調に不規則な筆書きによる無数の黒い線が、画面に動きを持たせ宇宙をも感じさせてくれる。また王冠の多色の使用がアクセントになり画面を魅了している。希望としては、主役のカンムリワシは旧作の画像の版ではなく、新しい画像を製版し、プリントしてほしかった。次回の作品に期待したい。

評－神山　泰治（会員）

奨励賞

フユウ－夜明、白日、夕暮－　(47×124)
遠藤　仁美

遠藤氏は、銅版画の作家であり、前回は浦添市長賞を受賞している。今回の作品は3つの作品を並列とし、大きな作品として制作している。

一版多色刷りであり、色彩豊かな表現で制作し、版表現に関しては、凹版画であり、エッチングやアクアチントなどの技法を活用し、版面に色を散りばめ鮮やかでありながら優しい色彩となっている。

浮遊するクラゲが表現されており、作者の心情や夢をさまよう表現なのだろうか。タイトルにもあるように「夜明、白日、夕暮」は3つの心象を意味しており、多彩な色彩で表現し、よくよく見てみると一つの版を上下逆に配置し色彩を3つの心象に置き換え制作している。人が持つ情緒は何らかの影響により心の動きへ繋がる。その表現として形や色彩などあらゆる場面で視覚化されると思われる。

また、作品をより良く活かすためには額装も重要であり、作品とのバランスが良く、作品制作への意識が高いと感じた。銅版画としての可能性を更に広げ、素晴らしい作品を今後も期待する。

評－赤嶺　雅（会員）

浦添市長賞

街の記憶(13-2)　(61×92)
安次嶺　勝江

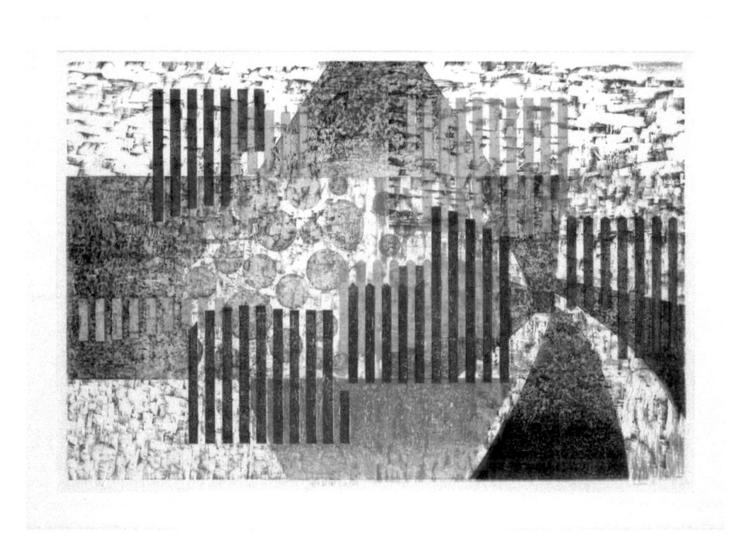

うるま市長賞

底地浜(石垣島)の黄昏　(40×56)
新城　善春

e-no新人賞

ヒカンザクラとメジロ　(85×60)
新川　絢音

彫刻部門

総評ー喜名　盛勝（会員）

今回は特段にすぐれた作品が多かった。出品数こそ少ない年だったが、近年にない佳い作品が観られた。嬉しいかぎりである。審査して居て実に楽しかった。毎年こうありたいものだ。

沖展賞の《チンナン》は堂々として華がある。会場で陳列されるのを鶴首して待つ。

奨励賞の《無言》は楠材の一木造りで、力作とは思うが両腕の肘から先に難がある。もう一方の奨励賞《ANOTHER》は材質に面白味がある。今後の制作活動に大いに期待したい。

浦添市長賞の《天女の宴》は細部まで実にていねいに彫りこんであり、忍耐と根性が感じられた。余計な事かもしれないが、手数を減らして抽象化を意識すればぐんと佳くなる事間違いない。

うるま市長賞の《雫の波紋》は杉材を丁寧に彫りこんだ寄木造りである。抽象だが密度の濃い仕事である。この仕事ぶりで具象が是非観たいものだ。

e-no 新人賞の《芽吹く鼓動》は「タクマシサ」「力強さ」がどうだと言わんばかりに出ている。新人賞だから当然今後が楽しみだ。期して待ちたい。

会員作品

守戦	上原博紀
嶺井氏	上原博紀
命どぅ宝	上原よし
「不思議なデザート」	河原圭佑
散歩道	喜名盛勝
トルソ	玉榮広芳
記憶の再生-2024	知念良智
「すず」	友知雪江
NOW	仲里安広
混迷	西村貞雄
絆	與儀清孝

準会員作品

ボランティアへのオマージュ	新垣盛秀
口をも塞がれた器	伊志嶺達雄
和（ワ）	玉城正昌
遠い信仰	津波夏希

沖展賞

チンナン	仲村春孝

奨励賞

無言	小泉ゆりか
ANOTHER	中澤将

浦添市長賞

天女の宴	與那嶺勝正

うるま市長賞

雫の波紋	小橋川剛右

e-no 新人賞

芽吹く鼓動	比嘉杏佳

一般入選作品

存在する物(者)	池原芳昭
果てなき「女」の闘い	上原弘正
果てない「愛」の闘い	上原弘正
Works-24(長方体の集合体)	神村吉次
縄文のムンクの『叫び』	古波蔵永雄
飛虎（ひこ）	小橋川共三
諸仏ー死者たちへ	さかもとかずこ
ダルゴランダミラ	ジョウジ・K
水影～Dolphin tail fin～	友利龍
アスミ	野原日那
ヒージャーの夢	平敷傑

屋外彫刻

HENOKOOURA	屋良朝敏

会員作品

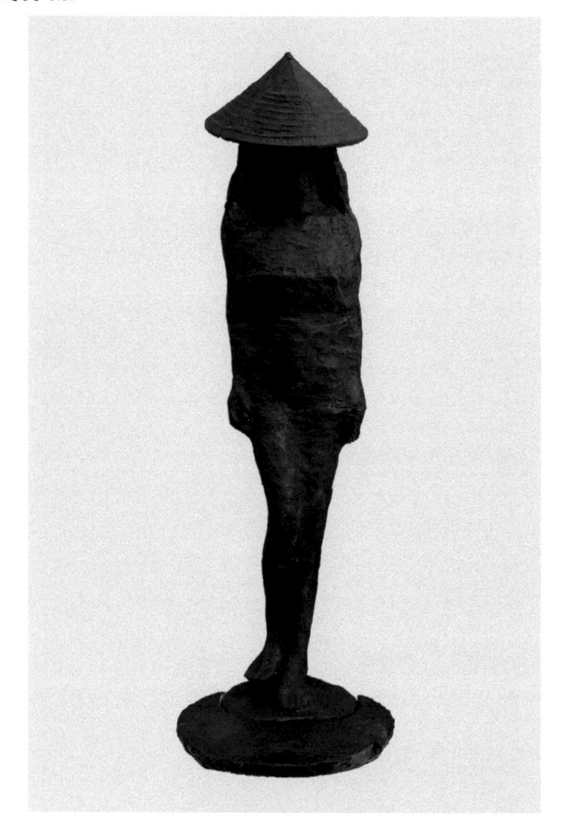

混迷　(H166×W55×D55)
西村　貞雄(会員)

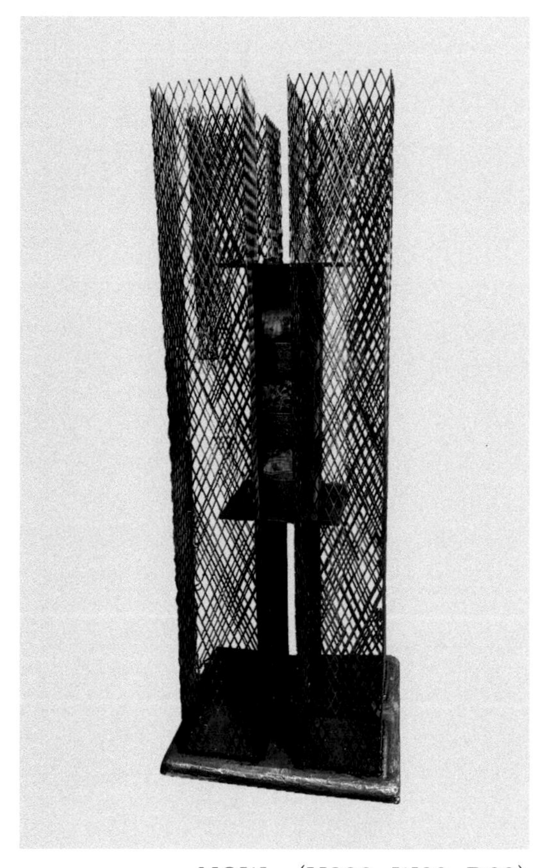

NOW　(H200×W60×D60)
仲里　安広(会員)

「不思議なデザート」　(H8×W42×D30)
河原　圭佑(会員)

「すず」 (H50×W30×D36)
友知　雪江（会員）

守戦 (H135×W39×D65)
上原　博紀（会員）

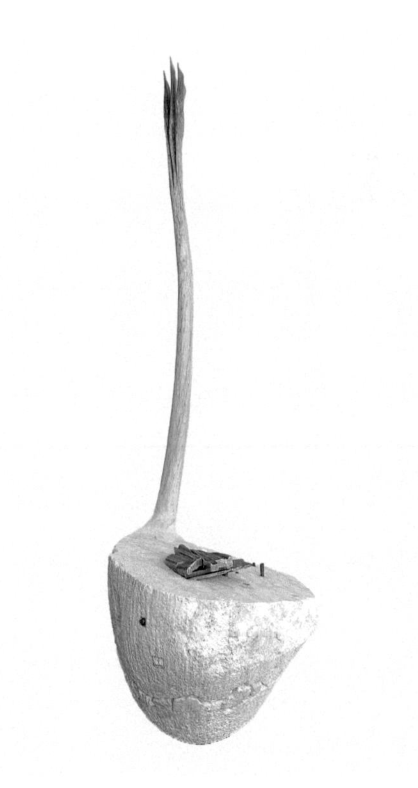

記憶の再生 -2024 (H98×W27×D45)
知念　良智（会員）

命どぅ宝　(H70×W42×D45)
上原　よし(会員)

絆　(H230×W100×D80)
與儀　清孝(会員)

トルソ　(H52×W36×D32)
玉榮　広芳(会員)

口をも塞がれた器　(H45×W40×D40)
伊志嶺　達雄(準会員)

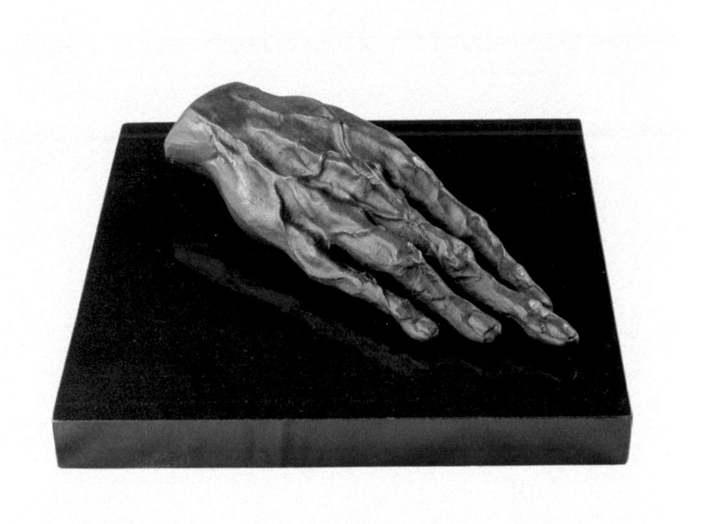

遠い信仰　(H12×W30×D30)
津波　夏希(準会員)

和(ワ)　(H210×W140×D50)
玉城　正昌(準会員)

ボランティアへのオマージュ　(H21×W30×D30)
新垣　盛秀(準会員)

沖展賞

チンナン　(H180×W100×D100) **仲村　春孝**

薄くスライスをした単板を、繊維方向を揃えて積層に接着をした単板積層材を重ね合わせて製作をした作品と思われます。薄く削った花びらと茎の木目の色合いと模様に変化があり、特に茎の部分はいろんな方向に交差し、作者の熱意が伝わります。かたつむりを沖縄の方言にしたタイトルも愛着を感じる響きですね。「チンナン」が今にも動き出しそうな感じがします。

前回の浦添市長賞に続き、今回の沖展賞おめでとうございます。今後の活躍も期待します。

評－與儀　清孝（会員）

奨励賞

ANOTHER　(H75×W85×D75) **中澤　将**

中澤氏は、第71回展《Square-Circle》では〈線〉を主体に、第74回展《Joint-Hall》では〈曲面〉で、ともに空間構成を意識した存在感のある作品を出品している。

今回の作品《ANOTHER》は、正三角形のアルミ複合板を素材とし繰り返される形や連続する面で、視覚的なリズムを生み出している。錐台(すいだい)を球面体にしたことで、展示空間の光や色を収差する面と、半球状の内側を曲面に仕上げ両端部の方向性を変えたことによってできた吹き抜けの空間は、球面体を包み込むような流れが表現されている。作品をとりまく空間に流れができたことで、展示会場という有限の大きさを持つ虚の空間を生み出している。単に作品を立体物としてみた場合、目に見える形や量塊だけにとらわれてしまいがちだが、今回の作品も前回同様に、空間構成を意識し作品をとりまく虚の空間が、上手く表現されている。

今後も自身の感性を生かした創作の展開を期待いたします。

評－知念　良智（会員）

奨励賞

無言　(H80×W55×D56) **小泉　ゆりか**

奨励賞おめでとうございます。完成度の高い存在感のある作品である。楠木の大きな塊を、完成した作品をイメージし、直彫で丁寧に、そして葛藤しながら掘り出して行く。三年の制作期間をかけた大作である。作者の確かな観察力、描写力、技量、そして木の持つ量感、力強さ、暖かさや温もりがストレートに表れ、見るものを釘付けにする。彫刻は「量の芸術」と改めて実感させてくれる作品である。胡坐をかいて前方斜め上を見詰めるポーズは、静かに漂う雲のように、ゆったりとしたときの流れを感じさせる。欲を言えば、全体の仕上りの良さに比べ、腕の裏側の処理に若干物足りなさを感じる。今後も木彫による表現を追求、深化させ、新たな作品への展開を期待する。

評－上原　博紀（会員）

浦添市長賞

天女の宴　(H75×W75×D30)
與那嶺　勝正

うるま市長賞

雫の波紋　(H130×W126×D97)
小橋川　剛右

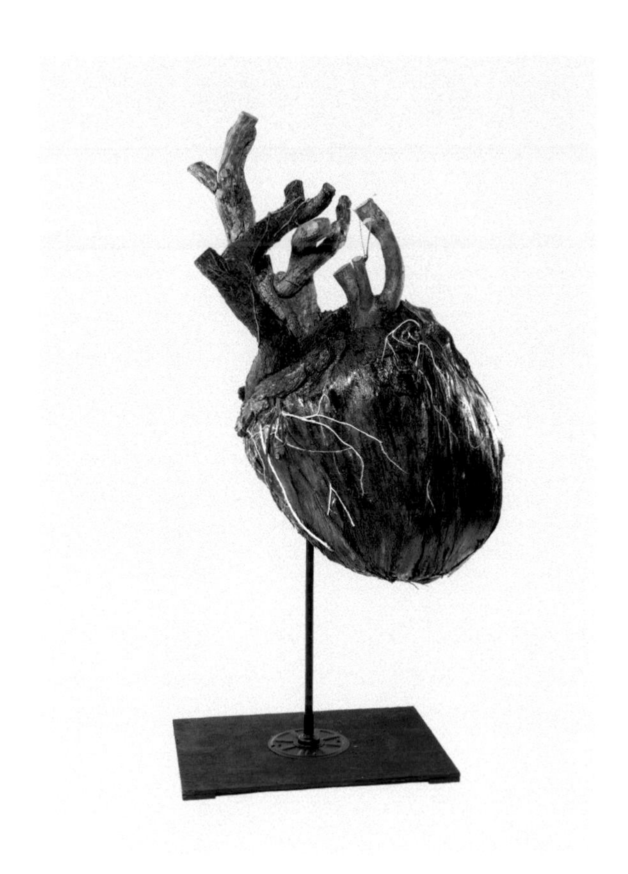

e-no新人賞

芽吹く鼓動　(H170×W60×D45)
比嘉　杏佳

グラフィックデザイン部門

総評ー玉城　徳正（会員）

グラフィックデザイン部門で、一般応募の28点は稀に見る応募点数である。沖展はアマチュアからプロまで多種多様なデザイナーにとって挑戦し甲斐のある場でありたいと願う。

今年も約半数がイラストレーション作品。近年は表現も多様化し、ハードのみならずソフトやテクニックも確実に向上し、上手い作品も増えているが、その表現に留まっている感がある。メッセージを伝える手段として、幅広いビジュアルデザインを期待する。更に、沖展の次代を担う準会員の応募が少ないのが残念であり、日々の中での作品づくりへの挑戦、奮起を促したい。

厳正な審査の選考結果は次の通り。

『準会員賞』は、昨年に続き川平勝也さんのポスター「炎鳥（ほむらどり）」に決定。会員への推挙となった。(講評参照)

『沖展賞』は、和宇慶茜さんのイラストレーション「潜熱ー森ー」。(講評参照)

『奨励賞』は、國吉駿之介さんのイラストレーション「街は多面体」、玉城祥大さんのデザイン「TRADITIONAL OKINAWAN COOKIE“CHINSUKO”」に決定。(各講評参照)

特別賞『浦添市長賞』の大學恵理子さんのイラストレーション「私はあなたを信じています」は、ホワイトスペースの空間処理が絶妙。水墨画のようなイラストに柔らかな毛のタッチや犬の表情のアップが良い。対称的に精巧に描かれた瞳孔と視線にメッセージを感じる。

特別賞『うるま市長賞」は、又吉ちひろさんのポスター「ハーモニー 02」。全体に淡い水彩画調のイラストと、塔から音符が空へと流れていくレイアウトが上手い。音符の流れからコピーへと導線がつながり、メッセージがしっかり伝わる。

『e-no新人賞』は、嘉数颯太さんのイラストレーション「帰る場所 確かに、ここに」に決定。迫力ある力強いタッチで、作者の時空を超えた想いの世界観。荒削りながらも圧倒する力を持っている。今後が楽しみである。

会員作品

BORDER is ME 002 — ウチマヤスヒコ

平和 — 岸本一夫

♨ゆ〜ふるや〜(銭湯)
♨中乃湯♨ — キムラロメオ

子ども虐待防止
オレンジリボン運動 — 島尻一成

REVIVE 20240101 [01] — 玉城徳正

REVIVE 20240101 [02] — 玉城徳正

SDGs目標16
平和と公正を全ての人にII — 知念仁志

不可逆的境界線 — 知念仁志

準会員賞

炎鳥(ほむらどり) — 川平勝也

準会員作品

NICE2 — 沖田民行

浄化人 — 川平勝也

甘い絶望の海辺 — 中井結

はじまりとおわりと、そのあいだ
交接するものたち — 中井結

無限 INFINITE — 仲里都貴江

無限 MUGEN — 仲里都貴江

何も恐れることなく良い年になるよう祈ろうよ
without any fear Let's hope
a goodyear — 山里永作

あちこーこー天ぷら(REF沖縄アリーナホテル
室内タペストリー案・B) — 和田瑞希

沖展賞

潜熱 -森- — 和宇慶茜

奨励賞

街は多面体 — 國吉駿之介

TRADITIONAL OKINAWAN COOKIE
"CHINSUKO" — 玉城祥大

浦添市長賞

私はあなたを信じています — 大學恵理子

うるま市長賞

ハーモニー02 — 又吉ちひろ

e-no新人賞

帰る場所 確かに、ここに — 嘉数颯太

一般入選作品

宇宙のたからもの — 上里智観

カラフルなチェス — ウエズタカシ

乳がん啓発ポスター
「乳学しませんか?」 — 奥間洋子

YOU — 川村秀人

I — 川村秀人

燦 — 仲尾紅

ぐるくん食堂界隈 — 野原正浩

鯨乃宇宙遊泳 — 長谷川正志

ハマウイ伝 — 比嘉耕二

ハーモニー01 — 又吉ちひろ

紅い花の咲く島 — 山本なぎさ

やんばるの森でかくれんぼ — 山本なぎさ

『犬猫殺処分ゼロ!』願い届け。 — 与儀一

ノースバレーより愛をこめて — 饒平名飛鳥

パイナップル岩のそばにて — 饒平名飛鳥

潜熱-海- — 和宇慶茜

特別展示

ポスター「琉球の美徳」 — 宮城祥

SDGs目標16　平和と公正を全ての人にII　(B1)
知念　仁志(会員)

子ども虐待防止　オレンジリボン運動　(B1)
島尻　一成(会員)

平和　(B1) **岸本　一夫**(会員)

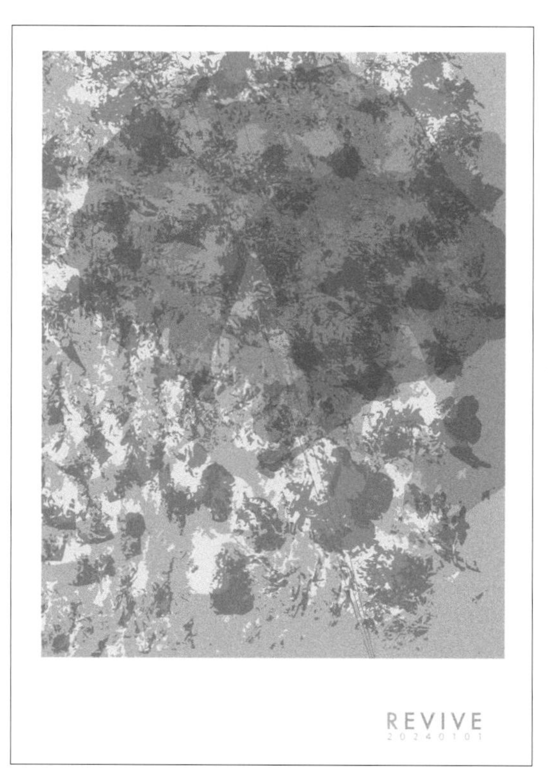

REVIVE　20240101　[01]　(B1)
玉城　徳正(会員)

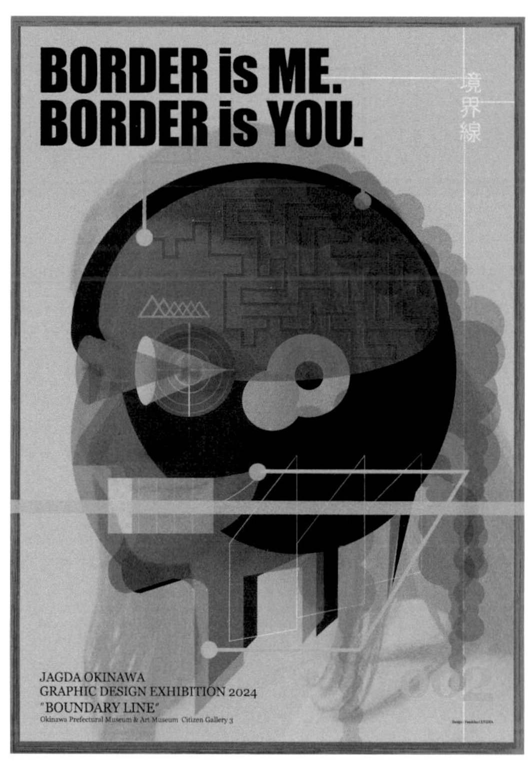

BORDER is ME 002 (B1)
ウチマヤスヒコ(会員)

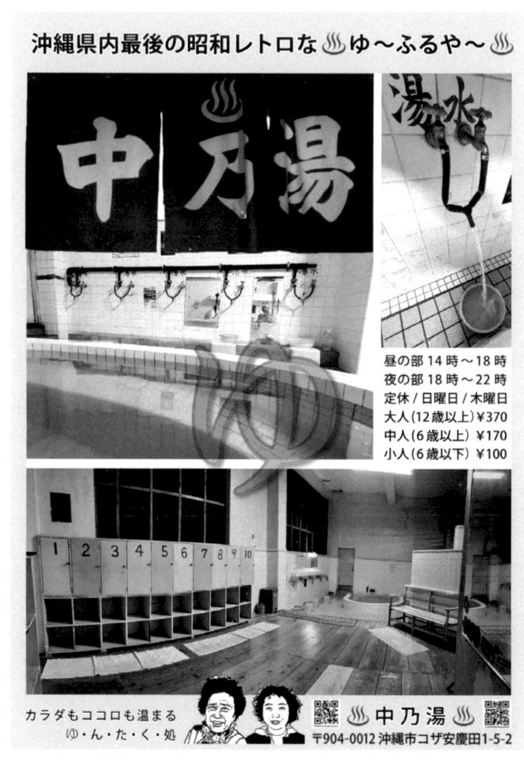

♨ゆ〜ふるや〜(銭湯)♨中乃湯♨ (B1)
キムラロメオ(会員)

準会員賞

炎鳥（ほむらどり）　(B0) 川平　勝也(準会員)

抽象的な舞踏の要素を、舞い踊る手で視覚的にアプローチした前衛舞踏公演の告知ポスター。炎鳥のタイトル通り、炎を身に纏った鳥のようにも見え、情熱的であり力強いエネルギーを感じさせる。

手にも鳥にも見えるビジュアルは、革新的で実験的な身体表現である前衛舞踏の本質を捉え、抽象性と具象性が絶妙に調和し、見る人の想像力をかき立てる。

秩序よく並んだ細く白い曲線と複雑に入り乱れた曲線が、紙面に動きとリズムをもたらし、舞踏家が踊っている軌道を描いているかのようだ。

伝統的なルールや構造に縛られない自由な表現の中にも、独自の表現手法やスタイルを追求する舞踏家と川平勝也さんのデザイン表現がリンクしているようにも思える。

昨年に引き続き2度目の準会員賞で会員に推挙された。おめでとうございます。

評－島尻　一成（会員）

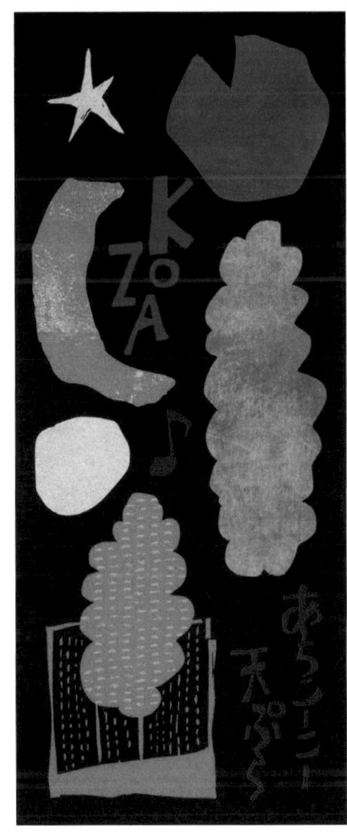

あちこーこー天ぷら
(REF沖縄アリーナホテル室内タペストリー案・B)
(146×60) **和田　瑞希**(準会員)

NICE2　(B2) **沖田　民行**(準会員)

甘い絶望の海辺　(B0) **中井　結**(準会員)

何も恐れることなく良い年になるよう祈ろうよ
without any fear Let's hope a goodyear （B1）
山里　永作（準会員）

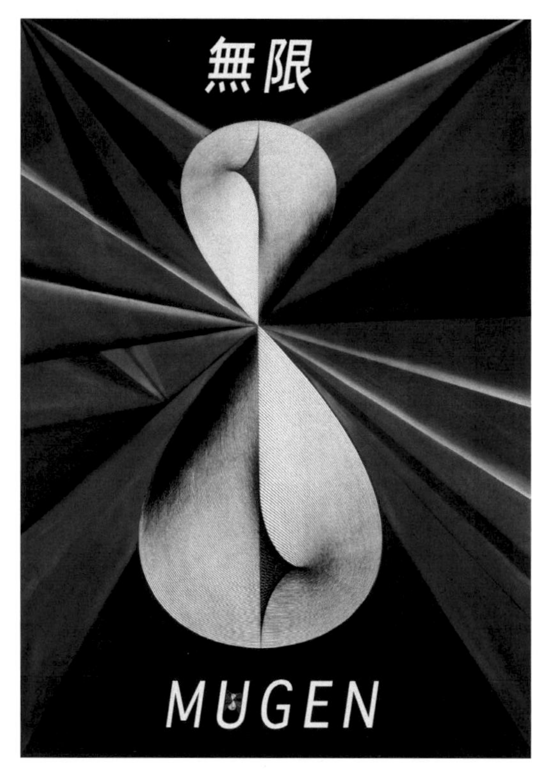

無限 MUGEN （B1）**仲里　都貴江**（準会員）

沖展賞

潜熱 -森 -　(B0) **和宇慶　茜**

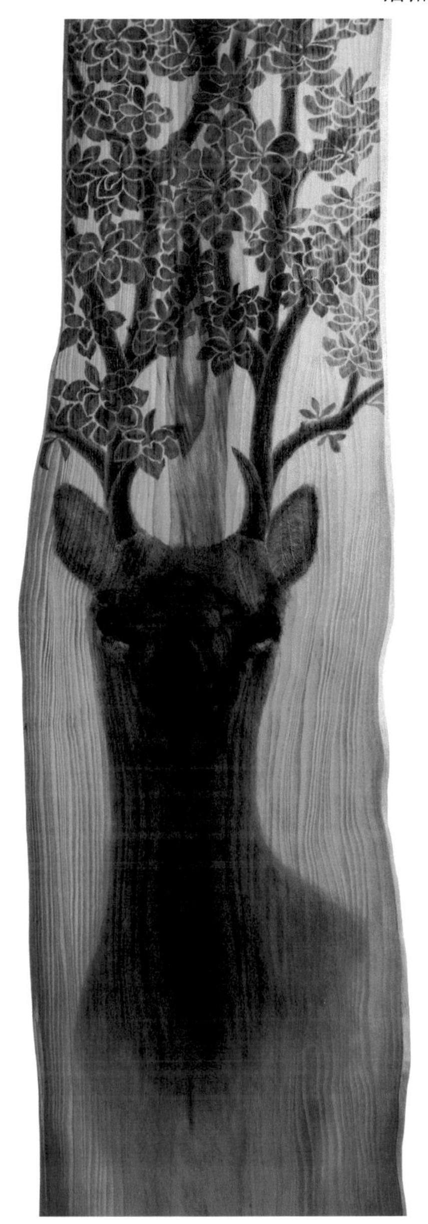

潜熱
sen-netsu
woodburning-art

美しい木目の中に浮かび上がる一点を凝視する円らな瞳。頭から上へと伸びる二本の角には咲き誇る花々。この鹿の目に見えているものは、生き生きと生い茂る伸びゆく森か、開発され滅びゆく森か。さまざまなことを想像させる秀作である。

第75回沖展の沖展賞を受賞した和宇慶茜氏の作品「潜熱—森—」。

この作品は、ウッドバーニングと呼ばれる技法で制作されている。まず、木材にコーヒーで下絵を描き、その上からハンダゴテで一焼き一焼き、丁寧に焼き記していくという。タイトルの「潜熱」とは、目に見えない熱＝エネルギーを表しており、自然を生かし、生かされている、作者の創作に向かう力、情熱にも通ずるように感じた。

そして、それは、自然からいただく大きなエネルギーとなり、見る者の心にも強い力として伝わり、浸透していくように感じられる。木目の流れや、枝の節目、色や形状を生かし生かされながらの作業は、自然と作者・人間との周到なコラボレーションのようにも見えた。

沖展賞たいへんおめでとうございます。引き続き、自然との対話、共同制作の中から、新しい息吹が誕生することを楽しみにしています。

評－ウチマヤスヒコ（会員）

奨励賞

TRADITIONAL OKINAWAN COOKIE "CHINSUKO" (B1)

玉城　祥大

海外に行くと手描きで描かれた店舗のウィンドウサインや看板をよく見かける。そのデザインされた文字やロゴを描くことをサインペイントと言い、その技法を使いすべての文字を手描きで表現したのがTRADITIONAL OKINAWAN COOKIE"CHINSUKO" のパッケージデザインである。

一見するとても沖縄の伝統的なお菓子であるちんすこうが入っているとは思えないが、そのモダンなアプローチが他の競合商品と差別化され、独自性や視覚的な魅力に溢れている。黄色と黒のコントラストもバランスが良く、クライアントである美浜のコーヒースタンドZHYVAGO COFFEEとの統一感もあり、まったく日本語を入れない潔いデザインに好感が持てた。

その徹底した世界観をポスターにも反映することができれば、よりクオリティの高いクリエイティブが実現でき、玉城さんにはそれができる実力があると確信する。

評－島尻　一成（会員）

奨励賞

街は多面体　(A0)

國吉　駿之介

沖展グラフィックデザイン部門への初出品、奨励賞受賞おめでとうございます。

受賞作品「街は多面体」は、鳥の眼の視点から計算されて細かいところまでよく描写されたイラスト作品です。まるでSFアニメ映画のワンシーンのようで、物語があるように見えます。

作者の制作意図によると『同じ街を歩くにしても旅人と街に住む人では見え方が違うので、その違いを多面体の形として表現した』といいます。作品の中の黄色い飛行機とそのパイロットが物語の主人公で、旅人かなぁ…と想像が膨らみます。イラストはPC作業で500枚を超える塗り重ね階層パーツ〈レイヤー〉を工夫して描かれています。

浮いているSF風な未来の街の雰囲気が伝わり、物語のつづきはどうなるのかと作品に惹きつけられ、楽しく想像したくなります。一段、一段、歩みを止めず、【國吉ワールド】創作の精進を続けてください。今後の創作活動が楽しみです。

評－キムラロメオ（会員）

浦添市長賞

私はあなたを信じています　(B0)
大學　恵理子

うるま市長賞

ハーモニー 02(A1)
又吉　ちひろ

e-no新人賞

帰る場所 確かに、ここに （B1）
嘉数　颯太

書芸部門

総評ー中村　裕美（会員）

国内外では平穏とはかけ離れた未曽有の事態が起きている中、書道界では大きな動きが有った。令和3年に書道が“登録無形文化財”となり、昨年は文化庁から“ユネスコ無形文化遺産”への候補として選定された。この事は内外に書道の重要性を示し、今後増々機運が高まると思われ強く希うところである。

書芸部門の審査会だが、当日審査が始まる前に事務局から提案が有った。賞候補作品の無記名投票をやめ、入選の選考同様、挙手にしてはどうかというもの。その後多数決で挙手制に決まった。

審査は審査員35名が慎重かつ厳正なる選考でおこなった。

応募数273点から、入選が203点（74.4％）、うち沖展賞1、奨励賞4、浦添市長賞1、うるま市長賞1、e-no 新人賞1。準会員の応募数26点、うち2点が準会員賞。1回目の審査から練度の高い作品が散見し、高得点が続き僅差での落選も有り来年に期待したい。努力を重ね出品した事は必ずや来年に実を結ぶこととなる。果敢な挑戦を期す。

入賞作は一様に生命感に満ちた作で、見応えのあるものだ。一発勝負の一作にかける秀作ばかり。今後文房四宝と対峙しさらなる高みを目指して頑張って欲しい。正賞、各賞の評は担当が有り割愛させて頂く。

2度目の準会員賞で会員推挙となった上門かおりさん、伊野前喜美子さん。それぞれが斯界に貢献、努力し夢を実現した。

準会員に推挙された平良祥太さんは若き作家として今後大いに期待する存在で、さらなる飛躍を願う。

浦添市長賞漢字の大城美季さん、うるま市長賞かなの喜友名正子さん、e—no 新人賞漢字の余力百香さんは、古典を意識しながらもスケール感あふれる作で、大いに目を引く。

今回惜しくも入選・入賞が叶わなかった方は是非雲外蒼天の気概で書き続けていただきたい。

書の作は平面芸術の中で精神性が表現出来る分野。作品からのエネルギーで広い世代に愛好者が増え活気あふれる会場であって欲しい。

＜前期･後期＞

会員作品

春望	東江順子
艸盧三顧	安里牧子
雲従龍	運天雅代
書譜 書道理論	大城武雄
楓橋雨泛	大城稔
漢詩四首	大山美代子
望盧山瀑布	我喜屋明正
晋書	我喜屋ヤス子
行軍九日思長安故園	我部幸枝
一生稽古	神山律子
大伴家持の歌	小杉紘子
東の野に・・・	砂川米市
しるべ	新里明美
感懐	砂川榮
不苦者有智（智有れば苦しからず）	田名洋子
こころの響き（自詠句）	茅原善元
吉語	渡名喜清
旅夜書懐（杜甫）	名嘉喜美
七言対句	仲里徹
菜根譚	長浜和子
良寛詩	仲村信男
謝肇淛詩 他一首	中村裕美
天（あめ）の海に	仲本清子
秦道然詩	西蔵盛英雄
生若浮	比嘉邦子
有征無戰	比嘉良勝
鮟鱇游篆	東恩納安弘
面壁九年	前田賢二
海	眞喜屋美佐
浩然之気	宮里朝尊
春	村山典子
楽	盛島高行
贈王主簿 其二	山城篤男
めぐりあひて	山城美智子
楊萬里詩	与那嶺典子

準会員賞

范成大詩 他二首	伊野前喜美子
寒山詩	上門かおり

準会員作品

塞下曲	上地徹
俶載南畝 播厥百穀	上原善輝
偶作 他二首	上原貴子
同題仙遊観	上原孝之
謝維焜詩	上間志乃
楊基詩 他一首	金城めぐみ
早朝大明宮呈両省僚友	幸喜石子
天道至教	幸喜洋人
蘇東坡詩	島尚美
岑参詩	島崎サダエ
桃花源詩	島袋園子
五言絶句（三首）	城間律子
田家雑興	新里智子
道徳為師友・前途有望 徳高望重・雞犬相聞	田頭節子
千利休	玉城笙子
龍田川	渡慶次喜代美
張継「楓橋夜泊」二句	豊平美奈子
韓翃詩	仲宗根司
蔡大鼎詩	仲舛由美子
白木槿の花	西澤恒子
七言絶句九首	福原兼永
「遠景」	松田征子
程順則詩	松堂康子
方丈記	吉田優子

沖展賞

許渾詩	平良祥太

奨励賞

春陰 他二首	大田安子
秋の踊り	金城雅之
多結善縁	呉屋純媛
蔡肇功詩	仲村冴子

浦添市長賞

寄鄭克敍	大城美季

うるま市長賞

京の山	喜友名正子

e-no新人賞

蔡大鼎詩	余力百香

一般入選作品 ＜前期＞3／23(土)～3／30(土)

＜漢字＞

蔡大鼎詩	島田直子
漢詩三首 読半山絶句有感題松雪翁臨祐陵草蟲 晩泊亀山	島津和美
野望(杜甫詩)	清水七子
鳥道	下地京子
王漁洋詩	謝名堂奈緒子
袁枚の詩	城間法恵
又錄別	新垣ちとせ
杜甫詩	新屋まり子
杜甫詩	末永奈桜
雜詩 其三	髙島久典
春山瑞靄圖	髙嶺善仲
春日郊外 他一首	田端喜代
漢詩三首	田港玲子
李頎詩	知念一正
中秋雨夕呈君美	知念栄子
杜甫詩 秋興二首	知念美和子
勝上人山房題	知念レイ子
望太湖 他一首	津嘉山すみえ
杜甫三首	天願圭祐
蔡大鼎詩	富山美智子
蔡大鼎詩	徳里美代子
東寺竹	渡具知淳子
蘇東坡詩	富村朝浩
靈峯山房夜起	富村夏子
蘇東坡詩	富山史奈
尋魯城北范居士　失道落蒼耳中見范置酒摘蒼耳作	豊平美栄子
2月1日汎舟西渓 他二首	長堂加代子
清俸橋 他一首	仲原真津枝
唐詩	仲本一郎
秦州雜詩四首	永山千里
釣翁 他一首	名渡山千恵子
荅趙彬	西里末子
蔡大鼎詩	西平利美子
蔡大鼎詩	比嘉さつき
蔡大鼎詩	比嘉るみ子
和陶飲酒	比嘉一朴
十四夜待月	平田真子
漢詩二首 蕭郸草書歌	柊﨑ケイ子
偶成 他二首	古堅直子
泊雲陽江頭玩月	星川初見
夜半	前里勝吉
蘇東坡海市詩	真栄田義之
劉阮再到矢台不復見仙子 他二首	真壁恵子
馬中錫詩 他一首	真謝幸代
沈璟詩	益井健次
高青邱詩 他一首	松本弘子
渡雙溪	嶺井由起子
對雪贈客	宮城秋夫
雨宿桃源菴	宮城正一
入境寄集賢林舍人	宮城政子
蔡大鼎詩	宮城みち子
村居秋興	宮城恵
蔡大鼎詩	宮里えり子
漢詩二首	宮里民子
雑詩 其三	宮里桃佳
李白詩	宮平妃女花
残雪	宮本康申
呉應賓詩	本原繁
何景明詩	諸見里花恋
蔡大鼎詩	屋宜由季奈
兪氏水樓	山川結加
徐積詩	山里昌輝
杜甫詩	山城秋雄
送蔡聲亭入貢	山城篤和
山中逢王雙白	山城洸大
玩秀軒	山城紗織
蔡大鼎詩	屋良美香
舟行、晩過張林 他二首	与儀好子
張説詩二首	與那城千恵子
白楽天詩	與那覇律子
蔡大鼎詩	米田帆希
支公禅院	饒辺聖子
南山詩(韓愈)	湧田市子

＜調和体＞

海	坂井美海
花	下地めぐみ
星の界(よ)	鈴木千鶴
冬の夜	髙橋直美
海	田島誠
近江八景	玉那覇豊子
椰子の実	津嘉山典
椰子の実	比嘉みえ子
村の鍛冶屋	外間幸恵

＜仮名＞

夏の歌二首	當間秀美
松尾芭蕉の句	渡久地美佐子
しらつゆ	渡名喜香代子
紫陽花	仲栄真律子
春べ	仲里美智子
与謝野晶子歌七首	仲里美代子
朝(あした)のどけき	仲程一美
六歌仙のうた	中山華鈴
ものさびし	新田千賀子
山吹	比嘉昭子
風	福原美枝
吾が宿に	外間匡美
芽ぐみ	宮城多佳子
萩の花	饒平名真由美

＜帖・巻子＞

軒し多の	諸見里史子
小倉百人一首より	與那覇博美

＜篆刻＞

近業四顆	富山由紀江
近作二種	宮平保彦
飲河滿腹 完璧帰趙 盤根錯節 暴虎馮河	山城千恵子

一般入選作品 ＜後期＞3／31（日）～4／7（日）

＜漢字＞

杜甫詩「春日憶李白」——赤嶺志麻
廃瑟詞 他一首——赤嶺隆子
晩泊濟陽 他一首——赤嶺美智子
静夜吟 夜坐——赤嶺光宏
蔡大鼎詩——安里弘子
唐詩——天久美津枝
樗櫟 他二首——新垣絹枝
十四夜待月——新垣しいな
種蓮秋懐——新崎でみ
録別 其二——新城直樹
蘇軾詩——新城円香
高明詩——池宮城秀斗
蔡大鼎詩——伊佐直美
春日留飲周熙臣山樓——石原淳子
七言律詩二首——稲嶺法子
蔡大鼎詩——伊波エツ子
司馬光詩——伊室莉珠
陶淵明詩——伊禮かおる
林守易以新舫載予同游
鼓山 その他二首——上江洲アケミ
懐子相 他——上江洲トヨ
徐熥詩 他二首——上江田敏博
磨劍——上原啓子
唐詩——上原妙子
擬陶（陶に擬す） 他一首——上原千枝美
静坐の吟——上原尚善
録別 其二——上原穂乃花
東寺竹——上原康
遠遊篇（曹植）——上原好美
漁父——上間涼愛
蔡大鼎詩——内間カズ子
宿長春山揚州——宇良樹希
漢詩二首——大城さやか
録別 其三——大城知子
支公禪院——大城舞子
高蟾春二首——大塚瑠実子
漢詩——小川和美
客中元旦望拜國主——小川未加
狄沖詩——奥田千弓
蔡大鼎詩——奥濱喜美子
蔣士銓詩——翁長淳
蔡大鼎詩——翁長実加
出門——小野寺清光
漢詩三首——神里和子
蔡大鼎詩——香村春乃
蔡大鼎詩——川上タケミ
岳陽樓——川上凪砂
蔡大鼎詩——川上秀子
蔡大鼎詩——川中留美
和祠部王員外雪後早朝即時——川満廣子
贈盧五舊居——金城綾子
江南行——金城功
魏州後亭送李判官使赴
晋緯得秋字 他四種——金城翔太
月夜與客飲酒杏花下——金城直子
李奇玉詩——金城久弥
蔡大鼎詩——金城美恵子
山翠——金城李美
蔡大鼎詩——久志すぎの
聞鵑——國吉真吾
奉和聖製從蓬‥‥・——桑江美恵子
郷心——桑江遼
蔡大鼎詩——幸喜薫
蔡大鼎詩——古賀日奈子
夜起——小橋川スガ子
杜甫詩——米須浅美
蔡大鼎詩——崎浜千鶴子
桐廬道中書所見——佐久川俊英
陸游詩——佐渡山香
楊基詩——座安あかり

＜調和体＞

鉄道唱歌——稲福みゆき
荒城の月——大城喜美子
花——嘉数未美
紅葉——金城正樹
スキー——久保田麻里
月の砂漠——小西雅巳

＜仮名＞

五月雨の——赤嶺弘子
ふるさとの山——秋広美智子
湖（うみ）のしづけさ——内間隆子
正岡子規の歌——喜納竹子
春のうた——久保田朱理
思ひあらば——古波蔵悦子
光り澄む…——佐敷博美
ほととぎす——平良花鈴
竹——髙木珪子
菜畑に——田場啓子
さくら花——田原帆ノ香
良寛の歌 四首——照屋典子

＜帖・巻子＞

桃花源（陶淵明詩）——新垣恵津子
百人一首より 四季の歌を——上地澄子

＜篆刻＞

笨鳥先飛 優游以卒歳
臥薪嘗胆 壽山福海——安里涼子
陽春篆刻——上間順子
千紫万紅 軽妙洒脱
当意即妙 切磋琢磨——上間道子
春日偶成——嘉数陽子
陰徳陽報 守禮之邦
栄光在主 至道無為——須藤保

＜前衛＞

うつわたち——岸本泰子

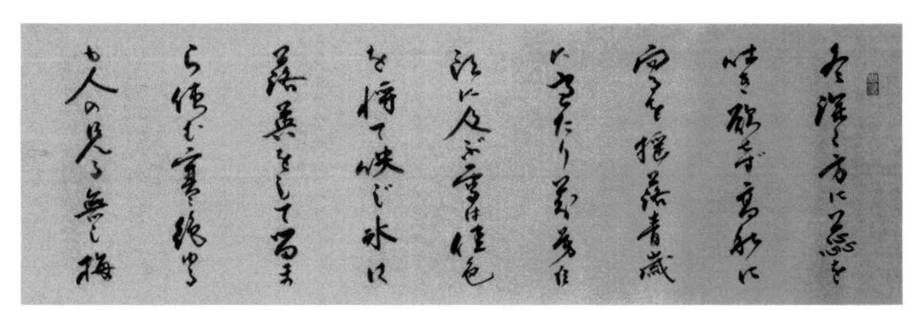

(30×390) 部分　　漢詩四首　**大山　美代子**(会員)

一生稽古
神山　律子(会員)
(135×70)

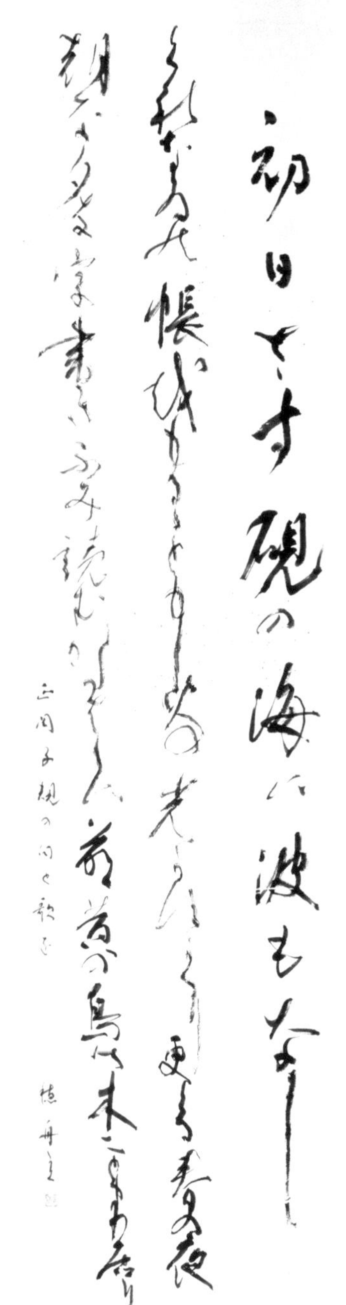

春
村山　典子(会員)
(224×53)

秦道然詩

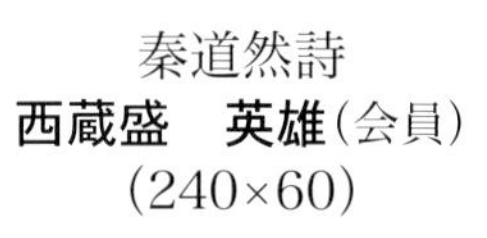

西蔵盛　英雄(会員)
(240×60)

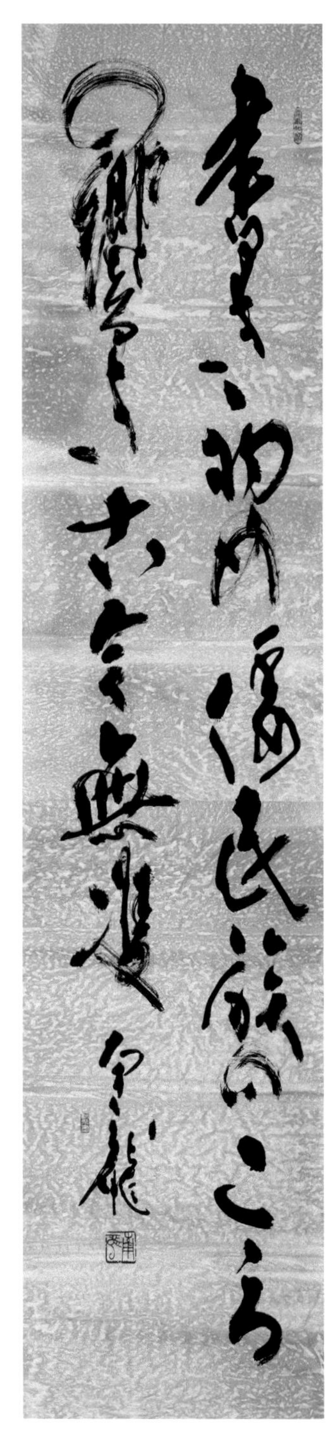

こころの響き(自詠句)
茅原　善元(会員)
(230×53)

感懐
砂川　榮(会員)
(240×60)

浩然之気
宮里　朝尊(会員)
(230×53)

旅夜書懐(杜甫)
名嘉　喜美(会員)
(230×53)

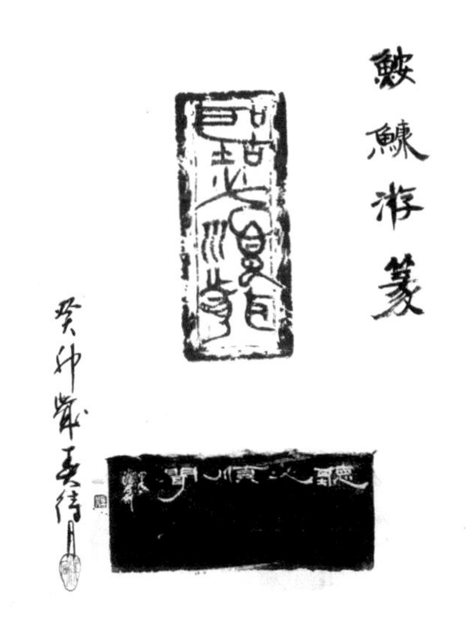

鮟鱇游篆　**東恩納　安弘**（会員）

（35×26）

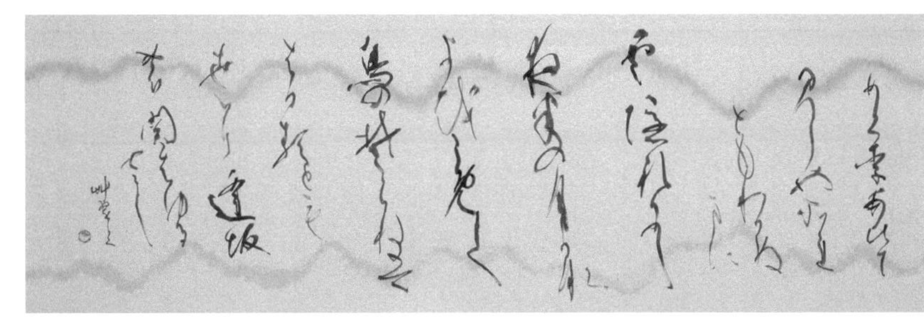

（60×180）　　めぐりあひて　**山城　美智子**（会員）

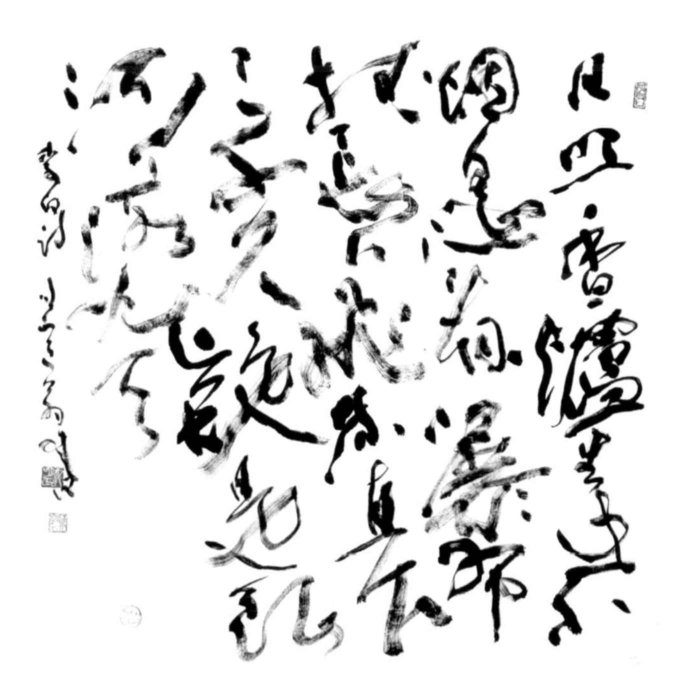

（70×70）　　望廬山瀑布　**我喜屋　明正**（会員）

（70×150）　　不苦者有智（智有れば苦しからず）
田名　洋子（会員）

七言対句　**仲里　徹**（会員）

（174×70）

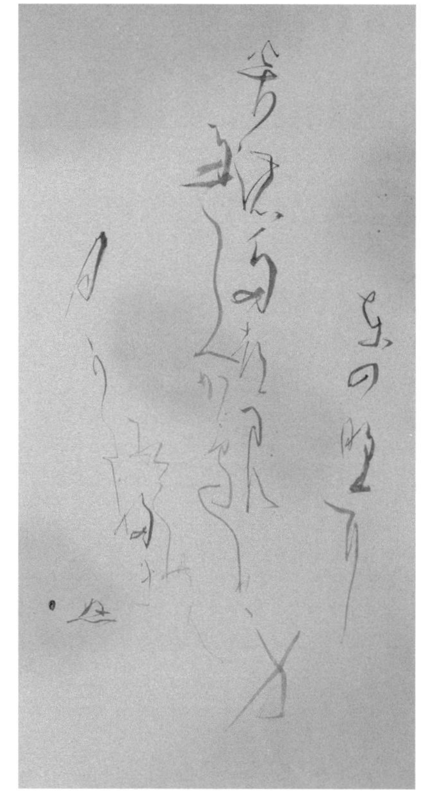

東の野に・・・　**砂川　米市**（会員）

（138×70）

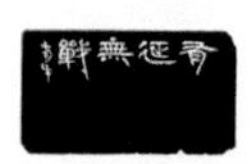

有征無戰　**比嘉　良勝**（会員）

（53×23）

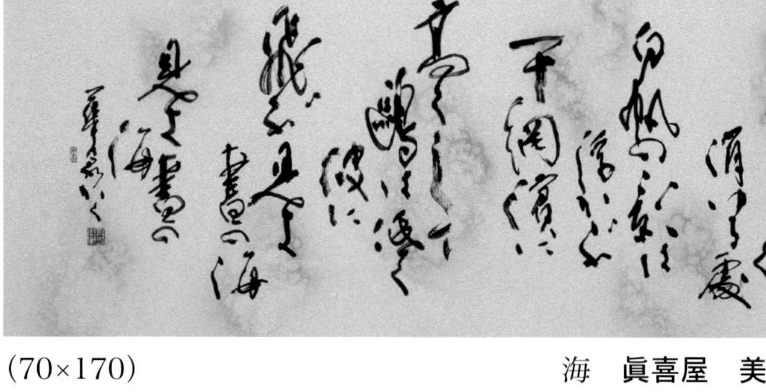

（70×170）

海　**眞喜屋　美佐**（会員）

行軍九日思長安故園　**我部　幸枝**（会員）

(170×55)

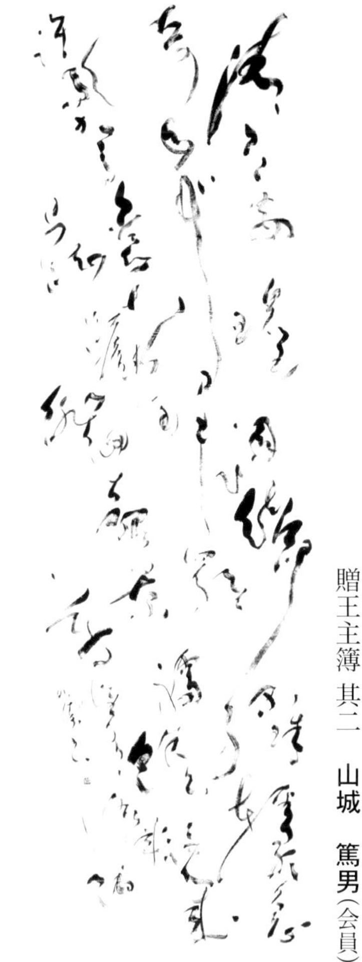

贈王主簿 其二　**山城　篤男**（会員）

(180×60)

良寛詩　**仲村　信男**（会員）

(175×45)

菜根譚　**長浜　和子**（会員）

(70×170)

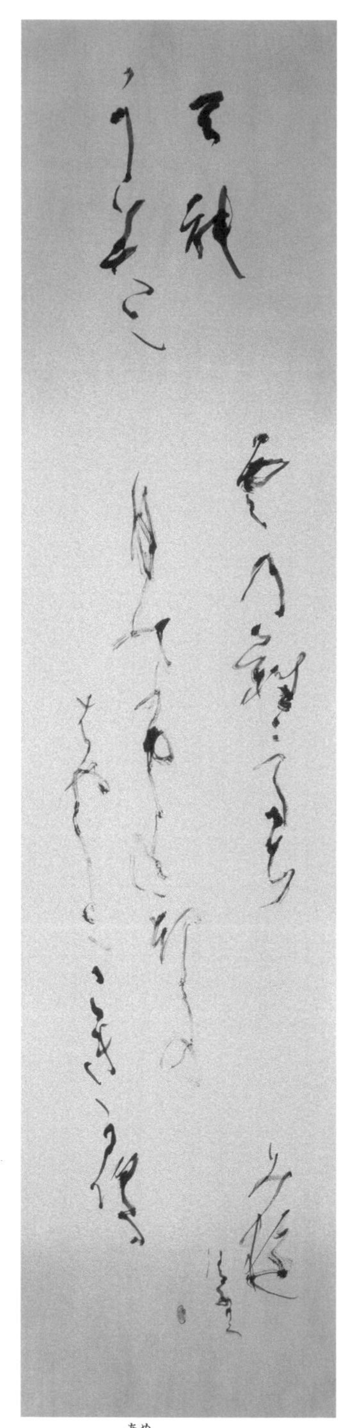

天の海に（あめ）
仲本　清子(会員)
(224×53)

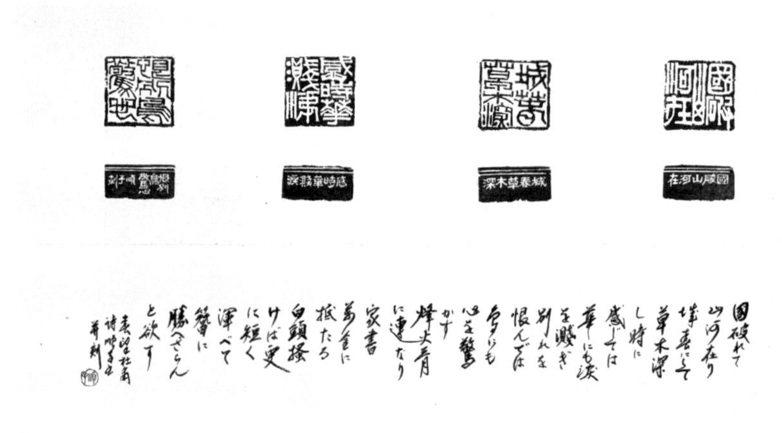

(40×70)　春望　**東江　順子**(会員)

(70×150)　晋書　**我喜屋　ヤス子**(会員)

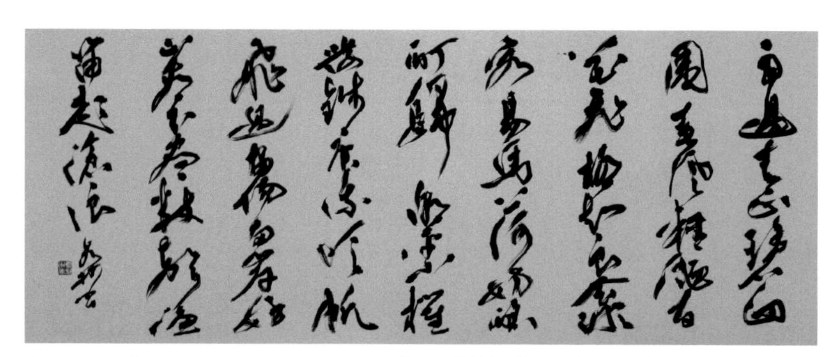

(80×160)　謝肇淛詩 他一首　**中村　裕美**(会員)

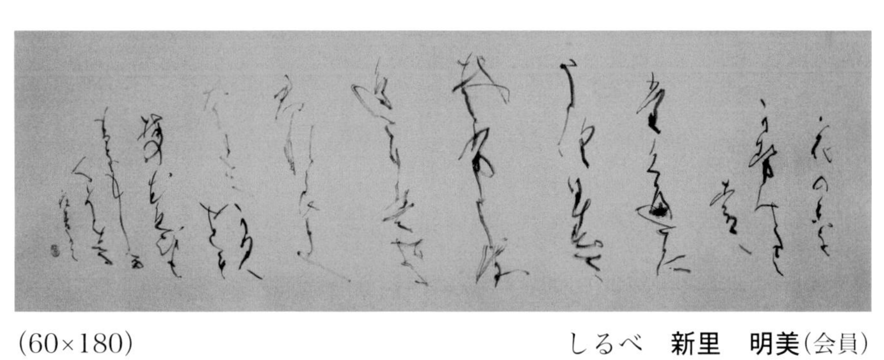

(60×180)　しるべ　**新里　明美**(会員)

(42×30)　面壁九年　**前田　賢二**(会員)

(123×90)　楽　**盛島　高行**(会員)

(135×70)　雲従龍　**運天　雅代**(会員)

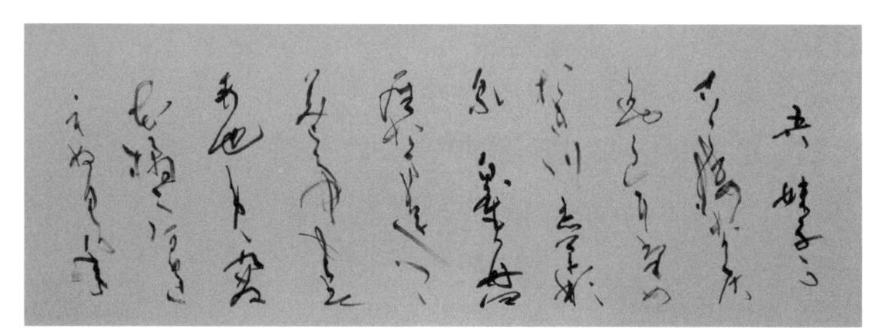

(60×180)　大伴家持の歌　**小杉　紘子**(会員)

(70×173)　楓橋雨泛　**大城　稔**(会員)

艸盧三顧　**安里　牧子**(会員)

(120×90)

書譜 書道理論
大城　武雄(会員)
(170×70)

生若浮　**比嘉　邦子**（会員）

（50×30）

吉語　**渡名喜　清**（会員）

（135×70）

楊萬里詩

与那嶺　典子（会員）

（167×53）

準会員賞

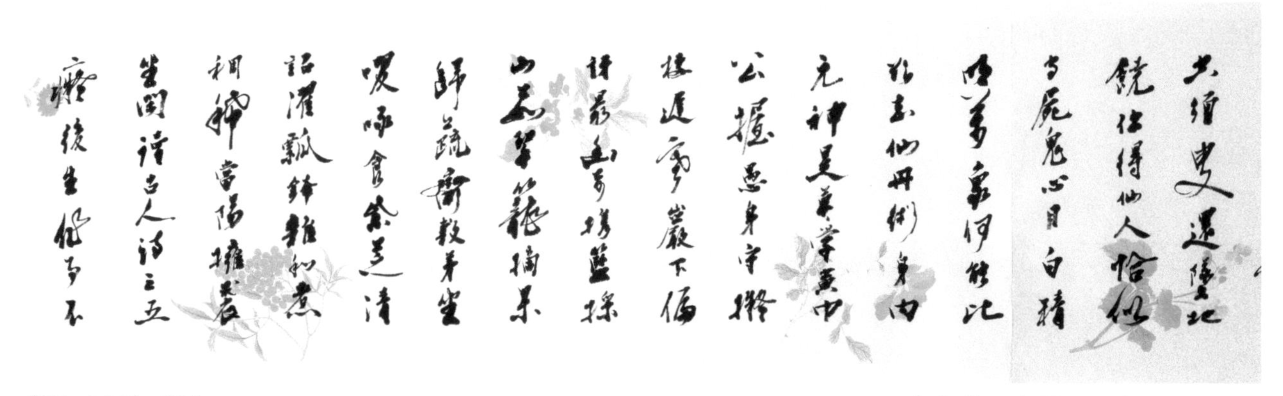

(35×300) 部分　　寒山詩　**上門　かおり**(準会員)

規定サイズ360㎝を目一杯使い、ゆったりとした行間に存在感あふれる作品は行草体の単体で書かれている。前後左右の文字への配慮、大胆かつ繊細な文字の大小、線の細太抑揚、収放等、奇をてらう事なく淡々と書き連ねているのはキャリアの成せる業だと思う。

清時代中期の書家「楊峴」の独特な筆法、運筆、文字の形態が所々に垣間見られ、古典の蓄積が伺える。また可憐な花々が散りばめられた料紙も文字も互いに融合しあい作品効果を生み出している。

そつなくまとめあげた作品は派手さは無いが品格の備わった作品となり、今回の準会員賞へと結びついた。

これからも古典を礎に格調ある作品作りに研鑽を積まれるよう期待してやまない。

評－運天　雅代（会員）

準会員賞

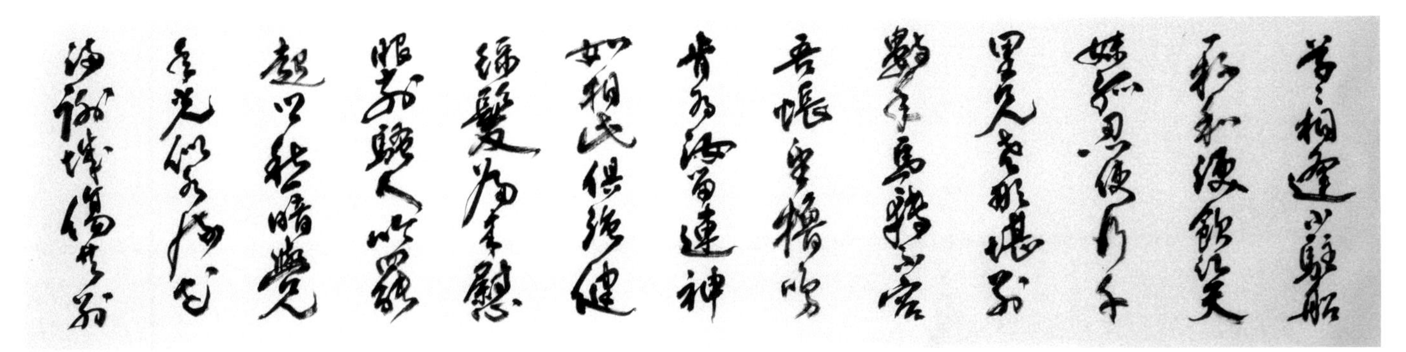

(35×345) 部分

範成大詩　他二首　**伊野前　喜美子**(準会員)

第72回展に次ぐ難関の準会員賞受賞、並びに会員推挙、誠におめでとうございます。

今回の作品は巻子で、作者の好きなブルーの料紙に墨痕鮮やかに明清時代の書家・王鐸を背景に書かれています。王鐸の粘りのある線を程よい行間に取り入れ潤渇、字の大小も充分に配慮され、作者の真面目な人柄がにじみ出た落ち着いた好感の持てる作品に仕上がっています。これも古典に根差した日頃の修練が実を結んだものと言えましょう。

巻子は横3m50㎝に200文字余りの多字数を書きますので、長時間を要し根気のいる作品ですが見事にまとめています。

作者はこれまで沖展賞、奨励賞、浦添市長賞3回、中央展でも数々の賞を受賞された実力者です。

今後は、会員として益々のご活躍を期待します。

評－大山　美代子（会員）

（40×70）　道徳為師友 前途有望 徳高望重 雞犬相聞
田頭　節子（準会員）

（34×350）部分　謝維焜詩　**上間　志乃**（準会員）

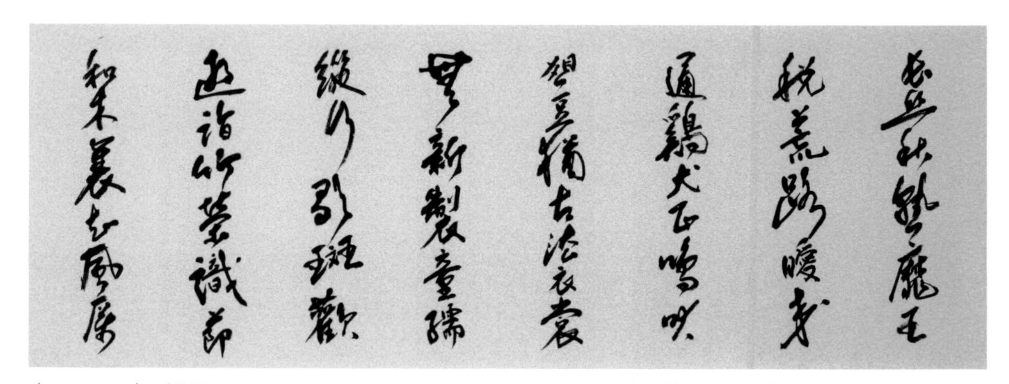

（35×400）部分　桃花源詩　**島袋　園子**（準会員）

田家雑興
新里　智子（準会員）
（226×53）

岑參詩
島崎　サダエ（準会員）
（228×53）

楊基詩 他一首
金城　めぐみ（準会員）
（230×53）

程顺則詩
松堂 康子（準会員）
（230×53）

早朝大明宮呈両省僚友
幸喜　石子（準会員）
（227×53）

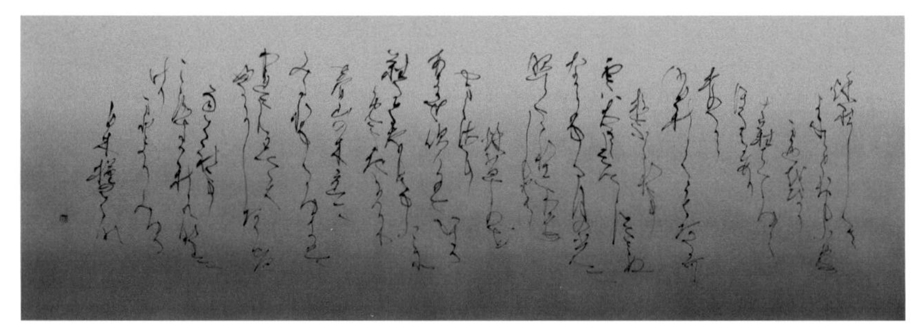

（60×180）　白木槿の花　**西澤　恒子**（準会員）

（35×355）部分　蔡大鼎詩　**仲舛　由美子**（準会員）

塞下曲
上地　徹（準会員）
（170×70）

（80×171）　天道至教　**幸喜　洋人**（準会員）

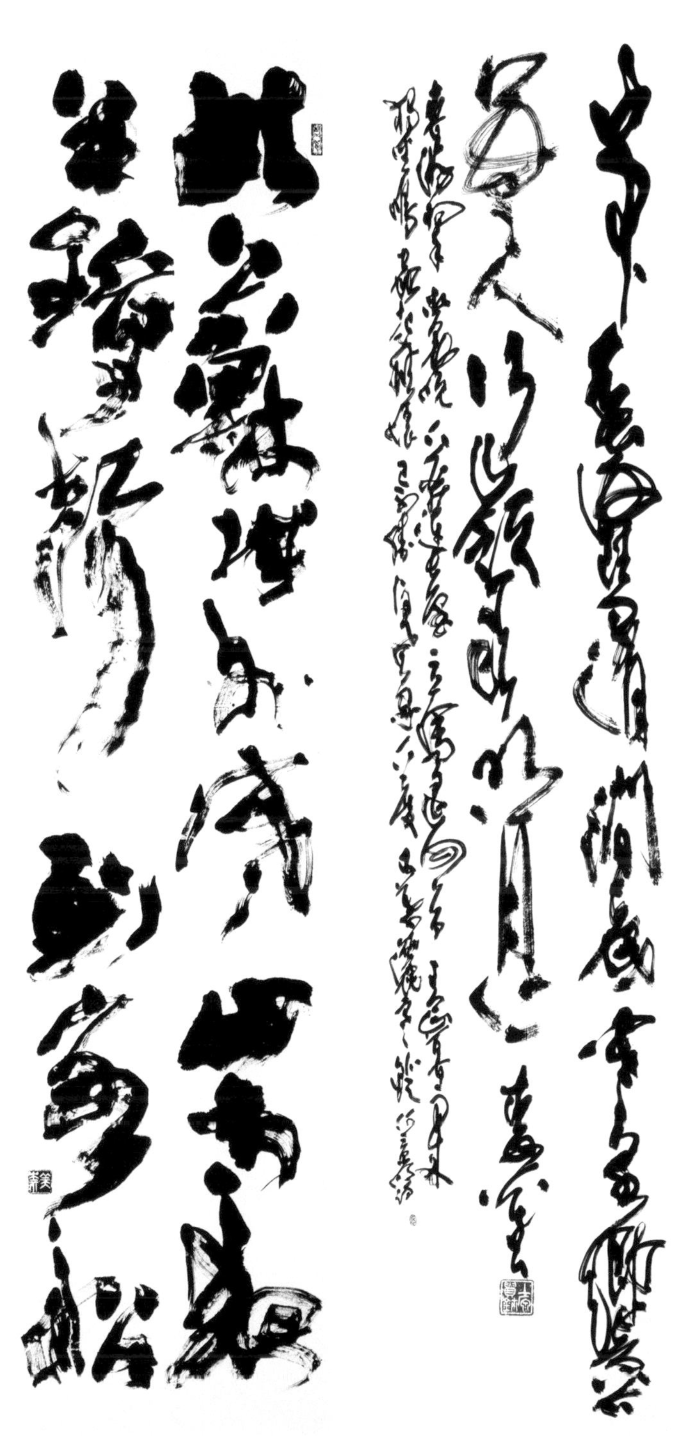

偶作 他二首
上原　貴子(準会員)
(230×53)

張継「楓橋夜泊」二句
豊平　美奈子(準会員)
(227×53)

五言絶句(三首)
城間　律子(準会員)
(228×53)

同題仙遊観
上原　孝之(準会員)
(230×53)

韓翃詩
仲宗根　司（準会員）
（234×53）

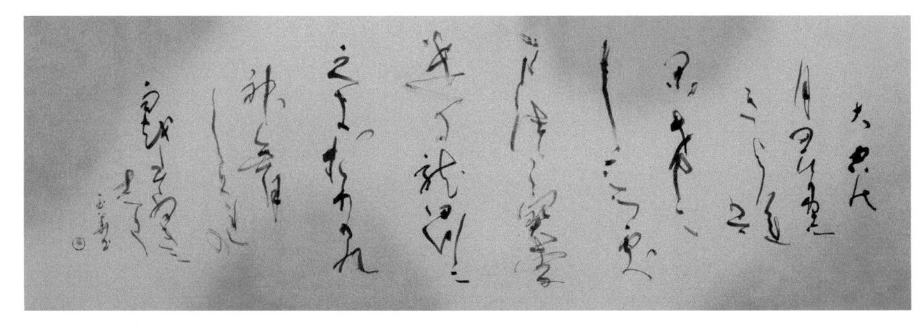

（60×180）　龍田川　**渡慶次　喜代美**（準会員）

（31×360）部分　七言絶句九首　**福原　兼永**（準会員）

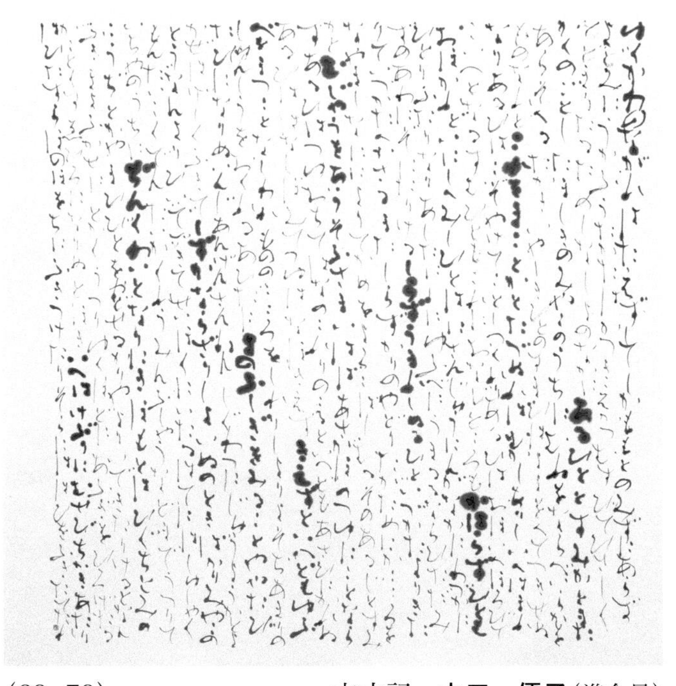

（69×70）　方丈記　**吉田　優子**（準会員）

俶載南畝 播厥百穀 **上原 善輝**（準会員）

（59×34）

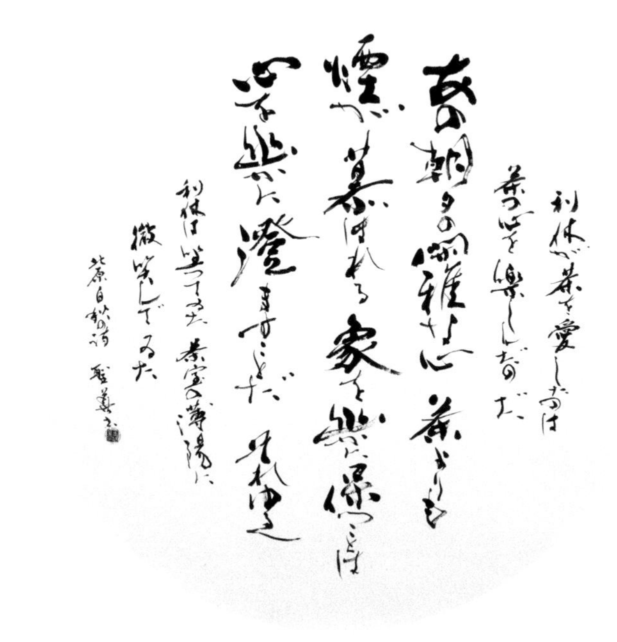

（120×120） 千利休 **玉城 笙子**（準会員）

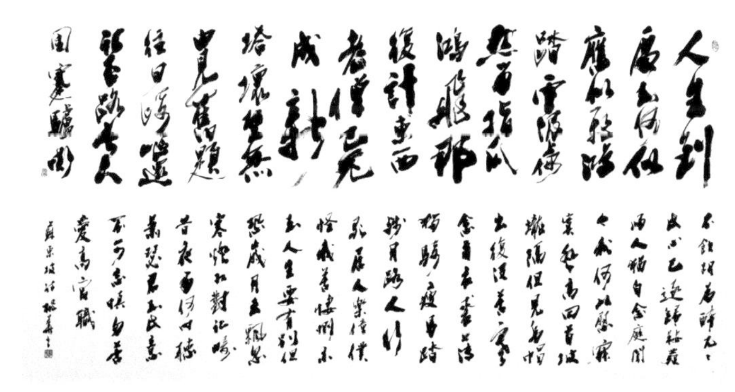

（90×170） 蘇東坡詩 **島 尚美**（準会員）

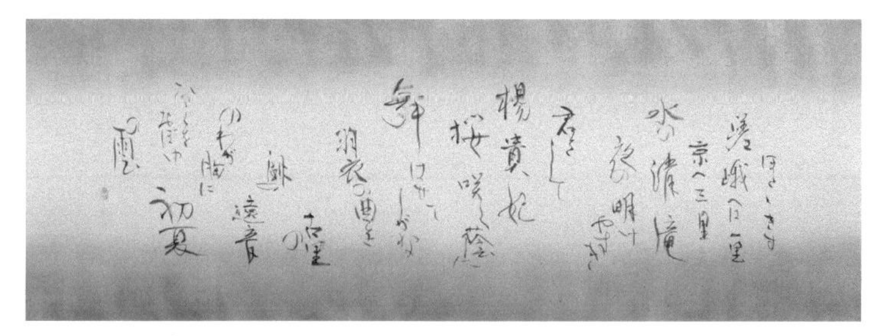

（60×168） 「遠景」 **松田 征子**（準会員）

沖展賞

許渾詩　平良　祥太

(230×53)

沖縄の芸術文化の祭典第75回沖展開幕を奉祝。久方振りに正攻法で正々堂々と、いの一番で審査台に上り高得点を射止めた作。一見して作者の鼓動が鳴り響く心魂の作である。文字を敬う心が一文字一文字の特徴を遺憾なく発揮。単体行草体の20字で構成。墨量、線質、潤渇の変化に富み気脈が一貫している。一枡ごとに薄墨で線を施す細心さは効果的。また3行目は細字行草連綿書を駆使し作品鑑賞の価値観にほのぼのしさを醸し出し、創意工夫は天晴れである。落款処理も首尾一貫し泰然自若の如し。作者への箴言、書の道極むは弛まぬ稽古鍛錬を。自我に感動してこそ真の道の人、気韻生動を生む。文房四宝を山程使い熟し、心田を耕し感謝の心が息衝(いきづ)く忠誠心が肝心要だと信ずる。

日展入選6回、読売書法展理事本年度新審査員の座を射止めている新進気鋭の40歳の若さ、前途を祝す。

評－茅原　善元（会員）

春陰 他二首　大田　安子

(228×53)

奨励賞

第73回展から3年連続の奨励賞受賞、さらに準会員推挙、誠におめでとうございます。真摯に書に向かい研鑽を積み重ねてきた努力が結実した。

漢詩3首を大文字3行、小文字2行でまとめた品格ある好作品である。大田さんが長年追求してきたスタイルで、回を重ねるごとに完成度が増してきた。

良さは随所に感じられる。まず、大文字と小文字の調和がとれ、行の軸がぶれず安定感がある。潤の墨量が沈潜し豊かで、骨力ある渇筆との組み合わせが妙である。多字数作品であるが窮屈さを感じないのは、文字の懐の大きさや大小の文字の流れが自然な行間を生んでいるからであろう。用紙の色と墨色が調和し風趣に富んだ作品に仕上がったのは、長年培ってきた感性と筆遣いの賜である。今後とも独自の書を追求し、書の楽しさを伝えてほしい。

どうぞ、作品が醸し出す詩情を楽しんでいただきたい。

評－長浜　和子（会員）

蔡肇功詩　仲村　冴子

(228×53)

奨励賞

約2000年前の中国漢時代の書体である隷書を現代風にアレンジした作。行間を密にし字間を広くとるやり方は、古典隷の原則を踏襲している。

右上りしない横広の直線的な字にまざる曲線の効果が大きい。うねるような波磔の装飾的な曲線を交えることによって、強さとあたたかさが生まれている。また画数の違う字を太さや強さで調整しながら、一字一字を整然とさせ、全体のバランスを取っている。

詩の最後の方に「きままに酒を酌めば、その楽しみは尽きることがない。」という意味の句がある。今迄のように、気ままで楽しく書と向き合って下さい。

清潔な生気と筆力のある整斉の美、ここに窮まり品格高い。

3回目の奨励賞受賞、準会員昇格おめでとう！

評－神山　律子（会員）

奨励賞

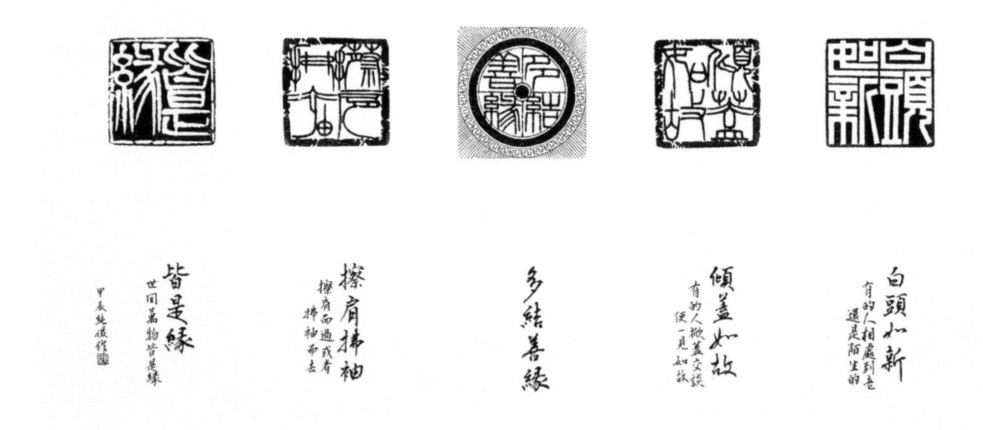

(36×67)　　多結善縁　**呉屋　純媛**

第71回展に次いで二度目の奨励賞である。今回の作品は同大の石材五個を横に並べ、中央に瓦当印を置き、方印の朱白を両側に配した構成である。中央の瓦当印は界線を入れて、四字を丸で囲む形である。太い丸線の外側は卍を連続させ、帯状に重ねた。その外側は削り落とすところを放射状に細い綿密な線を施して模様としている。作者らしい繊細なデザインである。方印の二朱印は小篆でまとめた。横画を細かく上部に寄せ、下の字も上部に寄せて造り、大きく空間ができた。ゆったりした雰囲気をつくっている。造形に変化をつけているので単調になるのを避けることができた。

白印二印の中の白頭如新は漢印調で横広に造り、下の字を上部に寄せることで長脚の雰囲気を出している。皆是縁は小篆でまとめた。始筆を強調しながら漢印の脚長に合わせている。字画を丁寧に緻密に刻り上げる作者の技量は確かだと思われる。作者はこれまで、多字数印を多く手懸けて来た。千字文や長詩等を分刻してきた。これは緻密な構成力と地道な作業の積み重ねで、いい作品を産み出してきた。今回の作品は四字熟語（一印は三字）で朱白五顆である。日頃の篆書の学習が筆意豊かな刻線を作り出していると思われる。益々の研鑽、精進を期待します。

評－東恩納　安弘（会員）

奨励賞

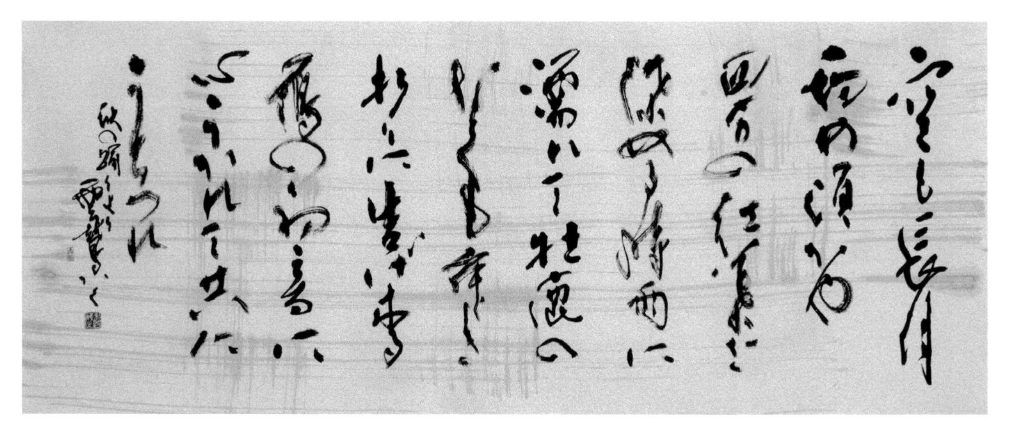

(70×175)　　秋の踊り　**金城　雅之**

おめでとう。本格的な素晴らしい調和体作品。漢字仮名交じりの調和体には、基本的なルールがある。読めて親しめる書をモットーに、素材となる文字は楷書、行書、平仮名、片仮名を主とし、判読が難しい草仮名、篆書、草書などは、なるべく用いない。そして読める書を心がけ長い連綿は避ける、と言う事である。

これらのルールを守り、さらに視覚に訴える芸術性を加味しないといけないところに、調和体作品制作の難しさがある。氏の作品は、明るいイメージをねらって、形の良い字形に流れるような字の連携、広い行間を取り、黄色の控えめな模様の入った料紙を使い、さらに、古典の渉猟をイメージさせる品格ある線質で素晴らしい作品に仕上げた。実に見事である。

氏は可読性より芸術性を重視した漢字作品と、調和体作品を書き分けて、両様式で日展、読売書法展で入選、入賞を果たして来た。今後の活躍を大いに期待している。

評－西蔵盛　英雄（会員）

浦添市長賞

寄鄭克敍
大城　美季
(230×53)

うるま市長賞

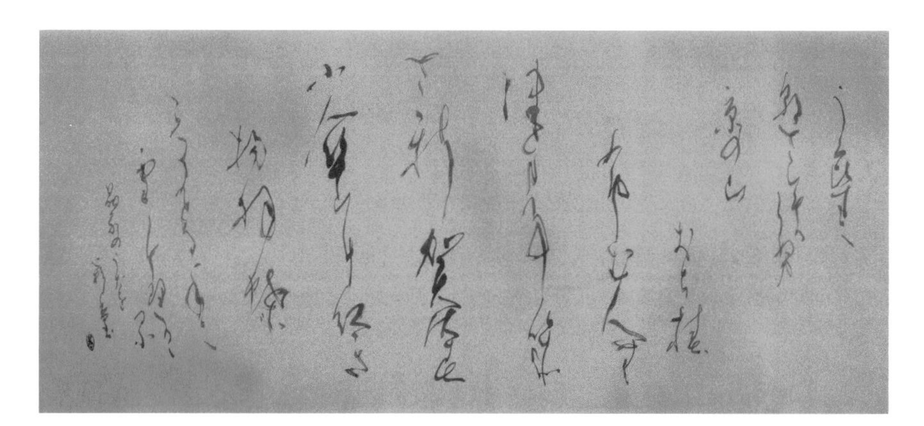

(60×170)　京の山　**喜友名　正子**

e-no新人賞

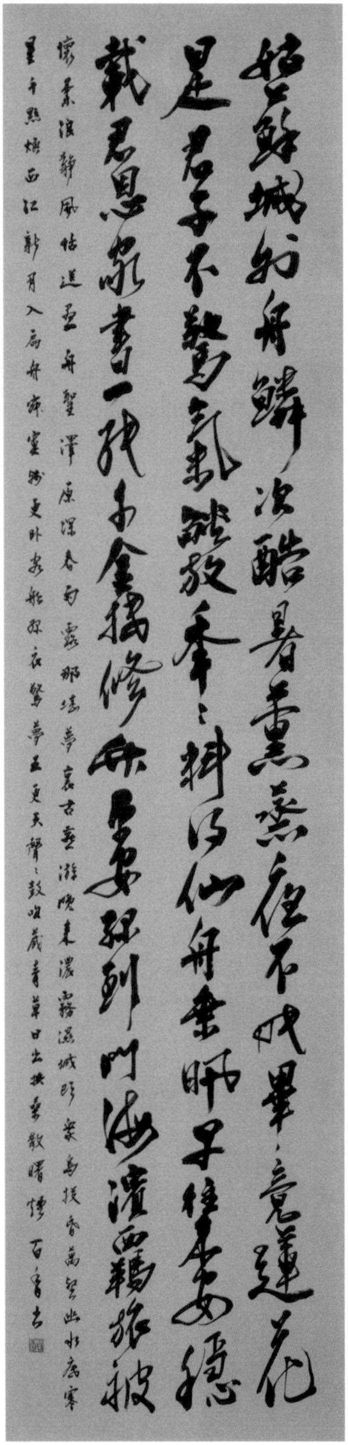

蔡大鼎詩　余力　百香

(230×53)

写真部門

総評ー真栄田　義和（会員）

コロナの5類移行後、応募者が増加すると思われたが、今回は一般公募117名（212点）と前年126名（214点）と前年比9名（2点）減少しております。コロナの影響がまだ続いているのでしょうか。準会員は13名中6名（7点）、前年7名（8点）と前年比1名（1点）の減少となりました。準会員賞は残念ですが選出されませんでした。

沖展賞に知念和範さん、奨励賞に屋嘉部景文さんと幸喜あかりさんがそれぞれ選出されました。誠におめでとうございます。特別賞として浦添市長賞に富原浩さんの「豹変」が受賞されました。ほんとうにおめでとうございます。初出品で初受賞となりました。富原さんは昨年7月に天願川の支流にある樹木にカワセミを追って、2ヵ月間毎日3時間ほどかけてカワセミの獲物を獲る瞬間をねらったとのことです。アップで撮ったカワセミのピントも良くあっており素晴らしい写真になりました。富原さんのたゆまぬ努力が実をむすんだものと思います。富原さんは写真歴モノクロ40年、デジタル2年のキャリアがあり、今後の活躍が期待されます。

うるま市長賞には町田宗昭さんの「今朝の獲物」が受賞されました。誠におめでとうございます。町田さんは、沖縄県総合運動公園の池の付近にある林に毎日8時から9時にかけて6か月間ミサゴを追って獲物を捕獲する瞬間を狙って撮影したものです。ピントの合った素晴らしい写真となりました。町田さんの粘り強い努力の結果だと称賛をおくります。町田さんは写真歴6年で過去に沖展入選が2回あり、今回が3回目で受賞となりました。今後の活躍に期待いたします。

今回はe-no新人賞に該当する作品はなく、残念な結果になりました。今後も若い出品者の積極的な応募を期待いたします。

会員作品

記憶の中の残像#03――東　邦定
収穫――大城信吉
役目をおえて――翁長達夫
過疎化する島――翁長盛武
Sicilienne――島元　智
世界平和希求・ゴルビー来覇の時――渡久地政修
比地のウンジャミ――中山良哲
日課――真栄田義和
ニアミス――吉直新一郎

準会員作品

目顔良好――池原德明
ロビーの片隅で――池原德明
伝統流鏑馬に願う――國吉健郎
釣りびと――仲宗根　直
光の造形――仲間智常
途絶された祭祀――平井順光
神秘的水精――宮城和成

沖展賞

未知の世界へ――知念和範

奨励賞

ランデブー――幸喜あかり
過疎の島――屋嘉部景文

浦添市長賞

豹変――富原　浩

うるま市長賞

今朝の獲物――町田宗昭

一般入選作品

あいこでしょ	赤嶺喜孝
記憶の欠片(かけら)	安里寿美
満面の笑み	安里涼子
出番前	新垣允啓
一瞬	新垣允啓
上下一心	上間美奈子
ミステリー	おおきゆうこう
執心鐘入に魅せられて	大田千枝子
採りたての輝き	我喜屋功
成長祈願	亀谷長進
傘(かさ)の顔(かんばせ)	川満昭男
初めての花見	神田守
眼光	喜名朝駿
焦燥	儀間生子
光跡(こうせき)	金城聡
決めポーズ	金城文子
絆	具志堅興清
情愛	具志堅興清
不屈	小出由美
老齢	小出由美
イチョウ並木	護得久朝一
晩秋	米須末子
帰り道	島田美佐子
親子の絆	島田美佐子
羽音(はおと)響く	城間由美子
ハッピーなバースデー	城間由美子
藍より青く	しんざとえいじ
ミサゴの勇姿	菅原壯
ハンター・ミサゴ	菅原壯
人馬一体	砂川悦子
イカナゴ漁	砂川悦子
タンカー祝い(ウューエー)	砂川盛榮
過疎地	平良正次
栄町・働く人々	玉城健次郎
家中刹那的異形(かちゅうせつなてきいけい)	玉城健次郎
急ぎ足	玉城律子
妖精	玉城光子
ウークイの夜 先祖を送る	知念和範
祈りの空間	照屋明
日射し戻る	桃原正憲
泥ン子	渡口澄夫
伊江島を望む	渡具知武光
海辺の詩(うた)	渡具知武光
沈むまでは帰りたくない	渡慶次さやか
海のキャベツ畑に魅せられて(琉球菊花サンゴの群生)	渡慶次さやか
「おつかれさま」	富村盛信
整音	名嘉久美子
慰霊の日	仲本昌雄
我思う、ゆえに我あり	長堂哲
童(わら)び神(がみ)	平田小枝子
捕食	正木虎夫
健脚ゴールに向かって	又吉英男
勝負あり	又吉英男
豊年祭	松田昌一
ネイリスト	宮城勲
降臨	宮城勲
囁き	宮城哲子
シュールな風景	宮城米子
朽廃の像	宮城米子
恐怖心との闘い	宮森和夫
お兄ちゃんだよ	宮良正子
闘牛ストーリー	屋嘉部景文
消え行く街のシンボル	山城啓
てぇーびーガーエー	山城和代
成長の証	山田恵美子
人参収穫初体験	与那城純子
逢魔が時	與那嶺幸子

Sicilienne　(90×100) **島元　智**(会員)

収穫　(90×70) **大城　信吉**(会員)

記憶の中の残像 #03　(106×160) **東　邦定**(会員)

過疎化する島　(94×130) **翁長　盛武**(会員)

ニアミス　(80×110) **吉直　新一郎**(会員)

役目をおえて　(62×72) **翁長　達夫**(会員)

比地のウンジャミ　(65×90) **中山　良哲**(会員)

世界平和希求・ゴルビー来覇の時　(111×80)
渡久地　政修(会員)

日課　(61.5×72.5) **真栄田　義和**(会員)

神秘的水精　(60.5×74) **宮城　和成**(準会員)

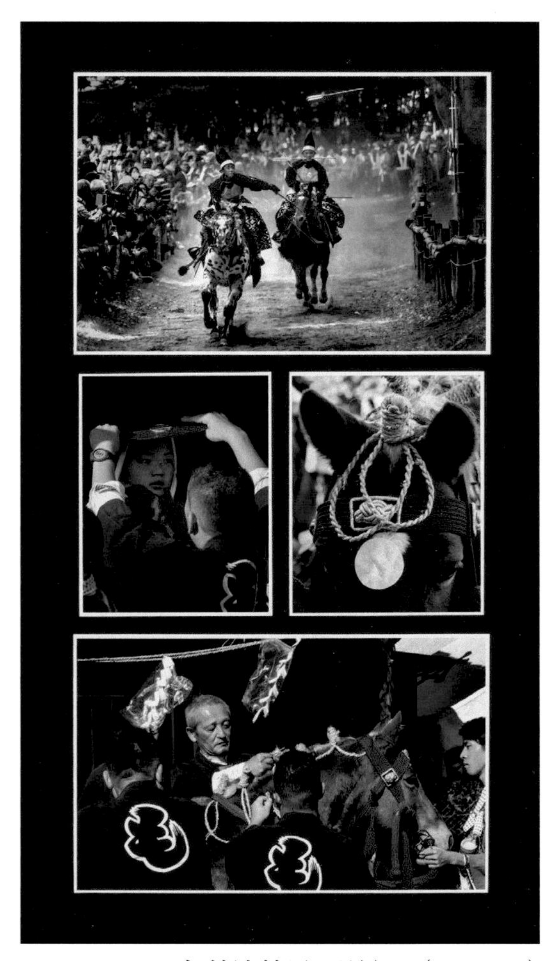

伝統流鏑馬に願う　(114×84)
國吉　健郎(準会員)

釣りびと　(51×62) **仲宗根　直**(準会員)

目顔良好　(51×63) **池原　徳明**(準会員)

光の造形　(73×58) **仲間　智常**(準会員)

途絶された祭祀　(78×92) **平井　順光**(準会員)

沖展賞

未知の世界へ　(98×75)　**知念　和範**

人間、地球、宇宙――これらは神秘に満ちた存在であります。我々は太古から「人間」として、知性と感情を宿し、歴史と未来を紡いでいる存在でもあるのです。その内面には、情熱や夢、喜びと悲しみが交錯し、複雑なる心の宇宙が広がっていると言えるでしょう。

作者は伊是名村の海ギタラと南城市のニライカナイ橋を多重露光というテクニックで宇宙と神の存在を表現しているのだと思えます。そこには人間も地球も宇宙の中の一つの生命だと示し、そして絶えず自然に対する畏敬の念を待ち生きていくことが人類の根源的な生き方だと言っているのだと見えます。

日本のリアリズム写真家の土門拳は「絶対非演出の絶対スナップ」を主張し、演出写真は写真にあらずと言い、表現に制約のある時代もありましたが、デジタル時代の今は多重露光写真なども許容できる時代になり、作品表現も多様性の時代になりました。作者は絶えず作品作りを念頭に独自の感性を持ち合わせている方と思います。表現の幅を更に広げ、今後も活躍する事を期待します。

評－東　邦定（会員）

奨励賞

ランデブー　(84×63)
幸喜　あかり

長引くコロナ禍で楽しみの撮影旅行が制限され、多くの写真愛好家が意気消沈していたことと推察いたします。
幸喜さんは、「写真はいつでも、どこでも出来る」をモットーに、「庭撮り」で自宅の庭や窓辺の植物や虫をマクロレンズで撮影し、また、沖縄市の沖縄こどもの国へ年間パスポートを利用して通い、一人撮影会を続けて写欲を維持してきました。
「ランデブー」は沖縄こどもの国で出会った一コマで、右上から弧を描きながら左下に流れるナピアグラスの白い穂に赤茶色の二頭のカバマダラが静かに交尾を続けています。背景が暗くなる様にフレーミングを選択し、逆光で白く輝く穂が画面に動きを与え、単純化された配色も「静の中に動あり」。プリントの仕上げも秀逸で好感が持たれます。
幸喜さんは、奨励賞・うるま市長賞・奨励賞と三年連続での受賞となりました。第76回展も期待しています。おめでとうございます。

評－大城　信吉（会員）

奨励賞

過疎の島　(81×105) **屋嘉部　景文**

屋嘉部景文さんは昨年度の奨励賞、今年度も続いての奨励賞で連続ビッグ受賞である。
作品のタイトルは「過疎の島」、4枚組写真である。
作者は仕事の関係で山原や離島を巡り歩いているが、住んでいる人が少なくなり寂しくなって、移り変わりも早く、近所にあったまちやぐゎーなどからも何かを感じてもらえたらとの思いで撮った写真とのこと。
左上写真は廃家となったセメント瓦の一軒家。庭は枯草に覆われて家主が去ってから何年経っているだろうか。右上は、昔の高級外車と見られる車が大きなガジュマルの下で錆びついて鎮座する。左下は廃屋、バーキ、お皿、お椀などだが、こちらはまだ新しく、生活感も残っている感じだ。
少し気になるのは、左上の写真は枯草部分を強調する為、広くとったと思われるが、カメラを少し上に振りその分空を見せて廃家を主役にした方が良かったのではないか。左下は白く丸い小便器が気になる。画面を広げて周囲も入れると違和感も薄れる。
右下のインパクトのある写真は、今ではなかなか見られない沖縄特有のまちやぐゎーのおばさんとお客さん、お二人が仲良く語り合う光景に鑑賞者は郷愁を感じ、心癒される。この写真によって、作者の意図するメッセージは届き、感銘をも与える秀作となった。
入賞おめでとうございます。次回の更なる傑作を期待します。

評－渡久地　政修（会員）

浦添市長賞

豹変　(51.5×56.5)
富原　浩

うるま市長賞

今朝の獲物　(74×52)
町田　宗昭

陶芸部門

総評ー新垣　寛（会員）

今年の陶芸部門は応募点数59点と昨年より増えたが、10年前の約140点と比べると半減している。数年前までは落選も数多く出ていたと聞くが、今年は、落選した作品もかなり少なかった。応募点数の少ない現状は、引き続き入賞のチャンスが高いといえる。作品全体では、審査員が考えもしない技法に是非が問われたり、個人的には造形に面白いものが多く楽しめた。

そもそも公募展とは、自分の作品の評価をもらうということだ。自分の作った作品が一般のお客様に評価をいただくこととは異なる。75回を迎える沖展の長い歴史の中で、応募者のみなさんと同じく、会員の我々も応募し続けて評価やアドバイスをもらいながら受賞を重ねてやっとの思いで会員となり、審査員として皆さんの作品を審査している。応募者のみなさんも受賞はもとより、準会員・会員・審査員となることを想像して沖展への応募を続けてほしい。また、作品解説会や表彰式後の祝賀会等の機会に、出品作品についての意見を会員に直接聞いてみてほしい。必ずこれからの応募作品を考える助けになると思う。

浦添市長賞は、阿部繁夫氏の「夫婦龍」。高さ90cm超の作品。大きな作品にある切れや歪みがない技術力が評価された。マンガン釉の濃淡をうまく使い分ければもっと迫力がましたと思う。

うるま市長賞は、比嘉裕之氏の「三島手飴釉壺」。サイズ、三島手、釉薬が評価された。しかし、正賞とならず、うるま市長賞となったのは、審査員の票が割れた結果でもあるが、他入賞作品と比べると三島手のデザインや形等が弱かったといえるだろう。

e-no新人賞は、藤原海月氏の「黒金彩海色硝子壺」。氏は、2回連続の同賞受賞となる。サイズは小さいが、多種の釉薬で色の表現をしており、審査票は割れたがU30枠のなかで確かな技術が評価された。下部から高台にかけては、苦労の後が見られた。

会員作品

魚群8寸組皿―――新垣　寛
琉球花三島尺二皿―――親川唐白
岩と龍―――佐渡山正光
四足立横獅子―――島袋常栄
飛鉋色差皿―――島袋常秀
嘉瓶―――玉城　望
白土ワラバケ マンガン壷―――松田共司
オーエーシーサー―――湧田　弘

準会員賞

三色掛分皿―――竹本尚子

準会員作品

焼締自然灰釉『壺』―――伊禮邦夫
厨子甕―――仲村まさひろ
花三島太鼓形壷―――宮國健二
長太郎釉酒器―――山内米一
長太郎釉裸婦文花瓶―――山内米一

沖展賞

春、燦燦―――佐渡山博子

奨励賞

悼む器―――伊志嶺達雄
飛鉋色差組皿―――宮城真弓

浦添市長賞

夫婦龍―――阿部繁夫

うるま市長賞

三島手飴釉壺―――比嘉裕之

e-no新人賞

黒金彩海色硝子壺―――藤吉海月

一般入選作品

怒り!対シーサー-地上の戦乱-―――赤嶺和三
海の煌きセット―――秋元ナナ
土灰釉正座斜横向シーサー―――安里幸男
金獅子屋根シーサー―――新垣信一
土灰釉正座斜横向きシーサー―――新垣秀昭
金彩壺―――新垣安隆
風神獅子―――新垣優人
黒斑壺―――新崎綾乃
花三島大皿―――伊良波幸繁
球美青瓷花器―――宇江城昌順
安瓶・湯呑一揃え―――上江洲史朗
三日月龍―――大石政延
琉球物語Part-1〈二人の祖母達〉―――大久保愛子
PUREIC―――大田衣輝
石垣文様四面花器―――金城安正
石垣文様四面花瓶―――金城安正
Flamboyant―――桑江良寿
BurnOut―――桑江良寿
三面花器―――幸地良丈
天昇双 天子虹龍―――佐野壽雄
化粧線彫赤絵組皿―――下地葉子
化粧魚紋線彫組皿―――下地葉子
紅眼炎獅子―――瀬良垣潤市
WAR MACHINE―――CENTALA MARTIN NICHOLAS
面取獅子―――高江洲勇志
泥クヮサー丸紋大壷―――伊達政仁
グラ丸―――田場典道
廻天之力―――田場典道
シダレ―――千葉康悦
変形花器―――照屋敏雄
空明流光―――田東　沢
真鍮屑-煌遡風車紋組皿―――当真英之
感謝(シチジュウサンの)―――當銘　保
ちびたっちゅー おーとシーサー―――仲村皆々子
シーサー―――仲村渠哲夫
龍巻壷―――仲村渠哲夫
土灰・鉄赤・織部釉三彩傘立て―――花崎為継
エメラルドブルーの海―――比嘉正徳
ホーヤーシーサー―――比嘉孝雄
オキナワ―――比嘉辰彦
昇龍―――前原常男
雲蒸龍変(うんじょうりゅうへん)―――松田優人
波文線彫壷―――宮城　敦
source―――山内徳光
やんばるの森の かくれんぼ　何びき?―――山川卓也
盌「二十四之壱」―――山田サトシ
盌「二十四之弐」―――山田サトシ
鳩図壺―――吉村　明

魚群 8寸組皿　(H7×W24×D24)
新垣　寛(会員)

飛鉋色差皿　(H11×W41×D41) **島袋　常秀**(会員)

岩と龍　(H52×W62×D26)
佐渡山　正光(会員)

オーエーシーサー　(H35×W35×D26)
湧田　弘(会員)

白土ワラバケ マンガン壷　(H41×W26×D26)
松田　共司(会員)

四足立横獅子　(H30×W30×D15)
島袋　常栄(会員)

準会員賞

三色掛分皿　(H12×W59×D59) **竹本　尚子**(準会員)

竹本尚子さん、準会員賞おめでとうございます。受賞作は、オーグスヤーと黒釉とミーシルー（乳白釉）の掛分技法によるおおらかな皿である。赤土の素地にオーグスヤーや黒釉を流し掛け、さらにミーシルーを流し掛けてあるが、その流れぐあいが自然に出て良い。皿の中に赤土の素地が見えているが、その間合が良いという意見があった。大皿の大きさに対してそれぞれの釉薬のバランスが取れている。これからも頑張ってもらいたい。期待しています。

評－島袋　常秀（会員）

焼締自然灰釉『壺』 (H70×W28×D28)
伊禮　邦夫(準会員)

厨子甕 (H86×W47.5×D32)
仲村　まさひろ(準会員)

花三島太鼓形壷 (H37×W30×D12)
宮國　健二(準会員)

長太郎釉裸婦文花瓶 (H25×W17×D17)
山内　米一(準会員)

沖展賞

春、燦燦　(H45×W50×D17) **佐渡山　博子**

沖展賞おめでとう。受賞作品は、タタラ張り合わせによるもので高さ45㎝、幅50㎝の堂々とした花器である。器の全面に施された南天をモチーフにした花紋の連続性が着物の染めを連想させる。陶器のデザインとしてはかなり独創的である。一葉ごとの葉脈も丁寧に描かれており、赤い実と黄色の花がアクセントになり全体を引き締めている。また、テカリを抑えた透明釉が織物の雰囲気を出している。本作は薄いタタラ板を張り合わせてあるが、これだけの大きさのものを張り合わせで作るには実はかなりの経験を要する。沖縄の赤土だけでは収縮率の問題で継いだ箇所に亀裂が起こる上に、焼成の段階で広い器面が波打つ。それらを防ぐ方法として、赤土にシャモットや白土を混ぜた上で土をよく絞めないといけない。つまり、成型の前にこれらの知識と技術が必要なのである。何かとロクロ成型の作品に目が行きがちだが、このような作品にも目をとどめ、評価をしていくことが大切だと思う。

評－親川　唐白（会員）

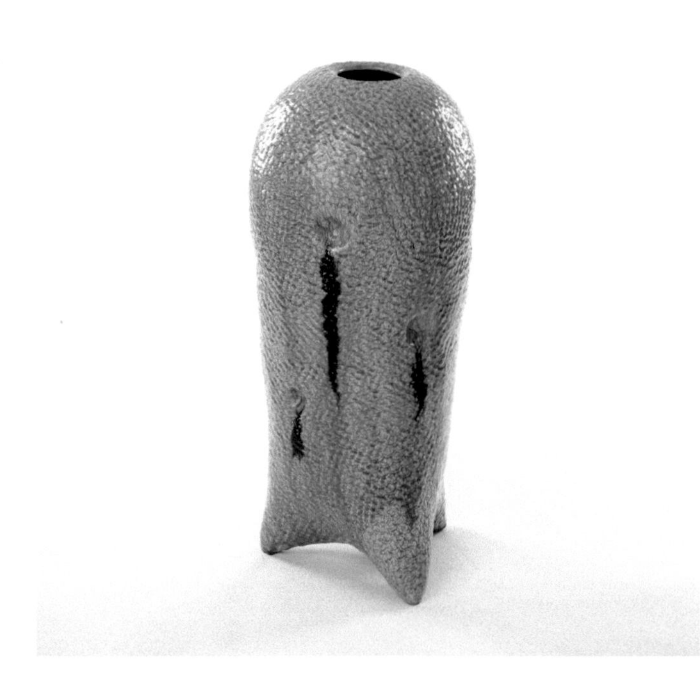

奨励賞

悼む器　(H70×W30×D30)
伊志嶺　達雄

伊志嶺達雄さん、奨励賞おめでとうございます。作品「悼む器」は、フォルム、色合いから自然との調和を感じ、また力強さと巧みさを持った作品だと思います。焼成と釉薬は、還元焼成（窯の中で酸素が少ない状態）で、うわ薬の灰釉は淡い緑色に、へこみ部分の銅釉は流れながら辰砂(しんしゃ)色に発色しています。成形は白色系の陶土にシャモット（耐火レンガの粉）を混ぜながら、手びねり成形とタタキで土を立ち上げています。大物でありながらもキズ、焼ギレやヘタリもなく、見事な焼き上がりです。伊志嶺さんが生み出す力強い形態の作品を今後も期待しています。受賞おめでとうございました。

評－玉城　望（会員）

奨励賞

飛鉋色差組皿
大(H8.3×W32×D32)　小(H8.2×W25.4×D25.4)
宮城　真弓

宮城真弓さん奨励賞おめでとうございます。今回の出品で3度目の奨励賞受賞となり、準会員推挙となった。作品は「飛鉋色差組皿」である。手法は、壺屋焼伝統技法である。細やかな飛鉋が施され、筆による色が差してある。一見なんの変哲もない組皿である。しかし、この作品が沖展賞か奨励賞か審査する会員を二分した。

作者は沖縄県芸大で学び、読谷の島袋常秀工房で長年弟子として陶歴を重ね、独立し首里にて作陶しておられる。安定した技法と清楚感、誠実な人柄が伝わる。

地域の伝統陶器をつくる際、枠にハマり自己表現を縛ろうとするが、それがかえって現在においては底力となり、時代を担いうるモノになると思う。根を張りつつ新しい創造を解き放ち、これから準会員として更なる沖縄陶器づくりに頑張って下さい。

評－松田　共司（会員）

浦添市長賞

夫婦龍　(H93×W43×D47)
阿部　繁夫

うるま市長賞

三島手飴釉壺　(H55×W45×D45)
比嘉　裕之

e-no新人賞

黒金彩海色硝子壺　(H25×W29×D29)
藤吉　海月

漆芸部門

総評ー宇野　里依子（会員）

第75回沖展の漆芸部門は、一言でいうととてもレベルが高かったです。私は前回、第74回からの審査参加だったのですが、印象が随分違いました。まず入選に当たっては、前回はギリギリの方もいたのですが、今回は全ての作品が「全審査員一致で入選可」となりました。その中でも特に目立ったのが沖展賞と奨励賞の2作品です。奨励賞、松崎森平さんの「交差点」は技術の面で素晴らしく、「粗を探してみたけどほぼないね」と言われる審査員もおり、大変な努力と、時間、積み上げてきたものの結晶という作品でした。沖展賞、嘉数翔さんの「美ら風」は技術面はもちろん、存在感と面白さ、未来につながるような楽しい作品でした。この2点はどちらが奨励賞か沖展賞か、かなりもめました。技術の「交差点」、面白さの「美ら風」。7人の審査員が4対３で割れ、1人1人意見を言い、沖展の色の一つである、未来につながるような楽しさのある「美ら風」が沖展賞になりました。どちらも素晴らしい作品でした。

うるま市長賞、齋藤まいさんの「おひさまがのぼるところ」は、ダチョウの卵を使い、物語性も見えて、ワクワクするような作品です。楽しさは十分にあるので、技術的に「決める所は決める」と、上の賞を狙ってゆけるのではないかと思います。浦添市長賞、石津陽子さんの「Cosmic Reef～星の誕生～」は珊瑚で型を取った乾漆を、隕石に見立てているのでしょうか。アイディアが良く、美しく、丁寧に仕上がっています。作品の「強さ」のようなものがあると、より良いでしょう。

そして、今回のレベルの高さは、準会員の前田春城さんの「悠久の空　輪廻の地　古の礎」が正に輝いていました。木地から作られ、丁寧な仕事と、間違いのない漆芸の技術。私はちょっと引くくらいでした（良い意味で）。何か批評をいうとしたら、沈金を見えないところにしているので、これは好みの問題ですが、「頑張って加飾したのだからお客さんに見せないと！」との意見もありました。素晴らしかったです。勉強になりました。そして、前田春城さん、今回会員推挙おめでとうございます。

会員作品

朱漆螺鈿盛器――糸数政次
螺鈿額「つたわる」――宇野里依子
乾漆隅取り螺旋四方皿――大見謝恒雄
牡丹シーサー二段重箱――後間義雄
螺鈿花蝶文平皿――前田國男
芭蕉舞う――前田貴子

準会員賞

悠久の空
輪廻の地　古の礎――前田春城

沖展賞

朱漆螺鈿蒔絵鉢「美ら風」――嘉数翔

奨励賞

交差点――松崎森平

浦添市長賞

Cosmic Reef～星の誕生～――石津陽子

うるま市長賞

おひさまがのぼるところ――齋藤まい

一般入選作品

栃拭漆12角盆――大城清善
還元-reduction-――加堂勝久
転生――木野沙央里
朧――照屋咲子
変り塗乾漆花器――西原郭行

芭蕉舞う　(H8×W8×D8) **前田　貴子**(会員)

乾漆隅取り螺旋四方皿　(H3×W22×D22)
大見謝　恒雄(会員)

牡丹シーサー二段重箱　(H15×W25×D24)
後間　義雄(会員)

準会員賞

悠久の空　輪廻の地　古の礎　(H23×W14×D14) **前田　春城**(準会員)

準会員賞受賞、会員推挙おめでとうございます。

作品は、髹漆(きゅうしつ)工程を丁寧に施し、加飾技術の螺鈿、沈金、箔絵で「悠久の空　輪廻の地　古の礎」を表現された完成度の高い作品です。髹漆とは、布着せ、下地付け、中塗り、上塗りまでの作業工程です。素地構造は檜材を4枚接いで円形の天板と底板を作り、肩・側面は捲胎で蓋と身を制作しています。脚と鰭部分は桧による曲輪で形を作り、強度を出すために布着せを多めに施しています。加飾の沈金は、ゼンマイ刀、曲り刀、輪島刀、キンマ剣を使い分けて彫られており、身の裏には幾何学円文様を古琉球の沈金を模倣して彫っています。作者は研究熱心で、技術が継承されず途絶えていた捲胎、曲輪技術の習得や、古琉球の沈金刀はどのような道具だったか分かっていない状況でいろいろな道具を使い研究も行っています。今後も途絶えた技術を復活させた作品を期待しています。

評－糸数　政次（会員）

沖展賞

朱漆螺鈿蒔絵鉢「美ら風」（H12×W29×D28）**嘉数　翔**

第75回の沖展の審査の結果、朱漆螺鈿蒔絵鉢「美ら風」が沖展賞と決まりました。第73回の浦添市長賞に続いて2度目の受賞です。真にお目出度う御座います。

まずは、楽しい！

この作品を見ての最初の印象がそれです。そして次に浮かんだのが、名物古伊賀水差「破袋」、アニメ「へうげもの」。何も端正なものだけが良い訳では無いという破調の美が伺えます。

生の木を挽いて後の変形を楽しむという手法は特に目新しさは感じませんが、大きく斫れた部分をあえて「正面」とした挑んだデザインになっていて、そこが一つの見所になっています。

加飾についても、仕事はきちん成されています。夜光貝、白蝶貝、貝の裏側に金箔を貼った伏彩色銀分の薄蒔き、それらの研ぎ出しなど。

木地に肉桂（にっけい）を使用した器に初めて接しましたが、割合軽く心地良く感じました。

これからの益々のご活躍を期待します。そして楽しみでも有ります。

評－照喜名　朝夫（会員）

奨励賞

交差点　(H77×W64×D4)
松崎　森平

漆芸パネル、作品タイトルは「交差点」。安波茶交差点の夜景を蒔絵研出技法で表現されたものであります。一見白黒写真では、と思う方々も多いでしょう。金銀丸荒粉を使用し、皆研出蒔絵で表現された高度な技法です。ムラなく均一に丸粉の輝きを極まるまで駿河炭（天然炭）を使用して研ぎ出す、研瑕、研破のない非常に高度な蒔絵加飾技法になっております。
第75回沖展漆芸部門奨励賞おめでとうございます。

評－大見謝　恒雄（会員）

浦添市長賞

Cosmic Reef～星の誕生～　(H34×W31×D10)
石津　陽子

うるま市長賞

おひさまがのぼるところ　(H15×W50×D23)
齋藤　まい

染色部門

総評ー迎里　勝（会員）

受賞、入選された皆様おめでとうございます。

今回は残念ながら準会員賞、沖展賞、e-no 新人賞の受賞はなく、奨励賞、浦添市長賞、うるま市長賞各1点ずつの受賞となりました。

応募があった準会員2点、一般応募10点の審査において、どの作品も作者のフィルターを通したデザイン対象が自由でユニークに表現されていました。

作業工程で型紙の送り（つなぎ目）や色のムラ、滲みなど技術的に気になるところもありましたが、それは作者自身が一番わかっているかと思います。技術は数を重ね研鑽していくうちに克服していくことでしょう。

浦添市長賞を受賞した三浦敦子さんの「きらきら」は、近年の沖展ではあまり目にしない表現ではありますが、いわゆる華やかなイメージの強い紅型とは違い、あえて柄の色を抑え隈取りもせず、ビンウシ（糊伏せ）や地色を重ねることによって奥行きを出す古紅型に見られる技法に挑戦したことと、着易い着物に仕上がったことが評価され、受賞となりました。今後、違う表現の作品にも期待しています。

うるま市長賞を受賞した藤﨑新さんの「サシバの渡り」は、10月後半から越冬のために沖縄に渡ってくるサシバをリズミカルに配しており、悠々と羽ばたく様と晴れた日の空の様子が目に浮かびます。ただ地色の雲霞にもう少し色の差があり、草花への隈取りをすることによって奥行きも出て、空の高さがさらに際立ったのではないかと感じます。紅型の型紙は模様を決定する基本となります。その型彫りや型の送りがとても丁寧にされており、その仕事ぶりが評価につながりました。次回は着物にもチャレンジしてみてください。楽しみにしています。

受賞作以外にも作者の熱意や努力、工夫が伺える作品がありました。今回の浦添市長賞のような作品が出展されたことで、紅型にも様々な技法があることを見てもらえるいい機会となりました。今後沖展ファンの目を楽しませるような作品が出品されることに期待し、私たちも精進していきます。

会員作品

紅型全通帯「ヤンバルマンダラ」―――城間栄市
紅型着物「フサナリツルナスビ」―――外間　修
藍型着物「ひし形に小菊と扇模様」―――外間裕子
紅型着物「電照菊」―――宮城守男
舞台衣装「アカヨーラ」―――迎里　勝

準会員作品

琉装着物「さわふじ」―――宜保　聡
紅型着物「ストレリチア」―――知念冬馬

奨励賞

紅型着物「軍配薺」―――平良幸子

浦添市長賞

紅型着物「きらきら」―――三浦敦子

うるま市長賞

紅型全通帯「サシバの渡り」―――藤﨑　新

一般入選作品

紅型着物「彩・いろどり」―――新川雅俊
紅型全通帯「錦海」―――小泉美里
紅型全通帯「花の妖精」―――近藤裕子
紅型全通帯「デイゴと蝶」―――島尻稚菜
紅型帯「松竹梅月桃丸模様」―――髙倍伸子
紅型全通帯「さがり花に蝶」―――當眞　愛
タペストリー「記憶の中の海辺」―――當山雄二

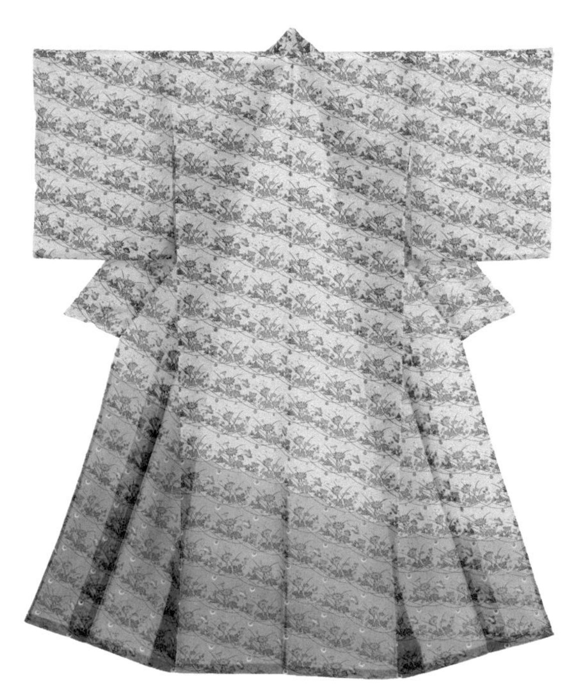

紅型着物「電照菊」（180×140）
宮城　守男（会員）

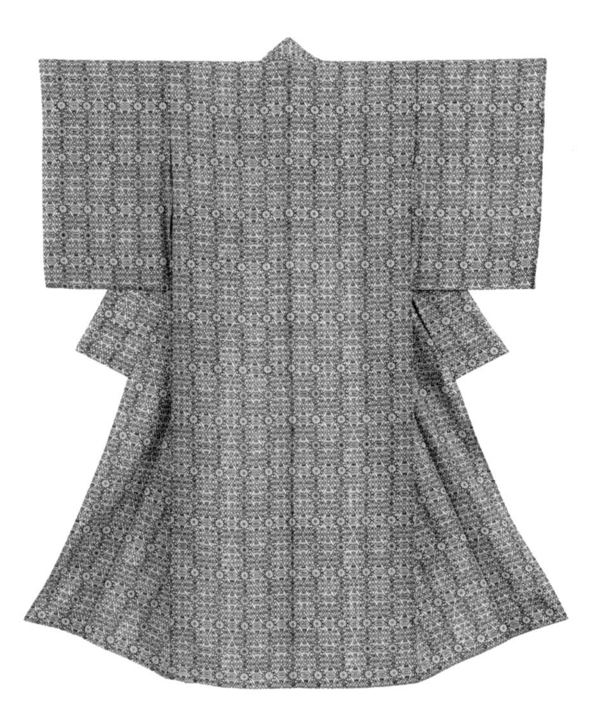

藍型着物「ひし形に小菊と扇模様」（175×140）
外間　裕子（会員）

紅型着物「フサナリツルナスビ」（175×140）
外間　修（会員）

紅型全通帯「ヤンバルマンダラ」（500×35）
城間　栄市（会員）

紅型着物「ストレリチア」（180×150）
知念　冬馬(準会員)

琉装着物「さわふじ」（170×130）
宜保　聡(準会員)

奨励賞

紅型着物「軍配薺」（170×136）
平良　幸子

奨励賞受賞おめでとうございます。
野の花への眼差しがとても優しい作品でした。また、技術的にみても型紙のリピートを上手く味方につけて配色を工夫する事で、単調になりがちな繰り返しのパターンに濃淡のリズムが生まれています。工程上の制約を楽しんでいるようにも見えました。

城間　栄市（会員）

浦添市長賞

紅型着物「きらきら」 (175×140)
三浦　敦子

うるま市長賞

紅型全通帯「サシバの渡り」 (515×36)
藤﨑　新

織物部門

総評ー新里　玲子（会員）

今回の応募は一般14点、準会員2点でした。

どんな作品に出会えるのかワクワクしながら一点一点拡げていく。心に響く作品が少ないですかねぇ・・・、審査員の表情が曇る。入選10点、選外4点と厳しい結果となった。投票をくり返す中で、沖展賞なし、奨励賞4点、浦添市長賞1点、うるま市長賞1点が選出された。

用途がはっきりしない、デザイン染色など技術力不足、完成度は高いものの応募規定「未発表の作品」ではないなどの理由で、選外となる作品もあった。

浦添市長賞の久米島紬着尺「井絣ゴーマー15玉」は手間暇かけた絣織りで、伝統図柄の奥深さ、技術者としての誇りが伝わる力のこもった作品だ。

うるま市長賞の絣織帯地「珠のれん」は朱色地に緻密な十字絣が愛らしい。手績み苧麻糸確保が厳しい中で、宮古上布絣技法を用い、紡績苧麻糸で新しい織物創出へのチャレンジだという。帯地としてのデザインなど課題はあるが、今できること、やれることの中で精進する姿勢は頼もしい。

準会員作品2点選考に入る。熱気に包まれる審査会場。独創性に富み、ダイナミックな藍グラデーションの八重山上布着尺「夏至南風」。朱色経緯絣を中心に花びらを散りばめたような絣織着尺「花の舞」。どちらも独自の絣表現で新たな景色を魅せており、満場一致で二人準会員賞受賞となった。この受賞により、連続入賞実績のある崎原克友さん、島袋知佳子さんは共に規定により会員推挙となった。

今回初出品の方も多く、敬意を表する。公募展に出品し研鑽する中で新たなステージに繋がる。昨年、人間国宝に認定された祝嶺恭子先生をはじめ、先達が築き上げてきた75年の歴史ある沖展、ともにより高みをめざし精進したいものだ。

会員作品

上布着物「朝ぼらけ」――新垣幸子
八重山上布着尺「花車」――糸数江美子
琉球絣着尺「御絵図」――大城一夫
絹紺地緯色絣ヤシラミ花織着物「新世界へ」――祝嶺恭子
宮古上布着尺「サトウキビの穂さく頃」――新里玲子
ロートン織帯地「クロトン」――多和田淑子
久米島紬「ヒチサギートリビーマ1玉」――桃原積子
絣織着尺「樹々」――真栄城興茂
花織着物「かわたれ時」――和宇慶むつみ

準会員賞

八重山上布着尺「夏至南風」――崎原克友
絣織着尺「花の舞」――島袋知佳子

奨励賞

ロートン織着物「夕風きらり」――大濵真子
絽重花織着物「ミスト」――加藤幸乃恵
経浮花織九寸帯「環（たまき）」――澤村佳世
久米島紬着物「球美（くみ）の夕暮れ」――仲地洋子

浦添市長賞

久米島紬着尺「井絣ゴーマー15玉」――山城智子

うるま市長賞

絣織帯地「珠のれん」――小禄有美子

一般入選作品

手花花織「flower garden」――玉城恵
「テトロミノ」――中島三枝子
帯地「つばめの低空飛行」――前川かず子
タペストリー「うるまの空(珊瑚の島の空)」――宮良千加

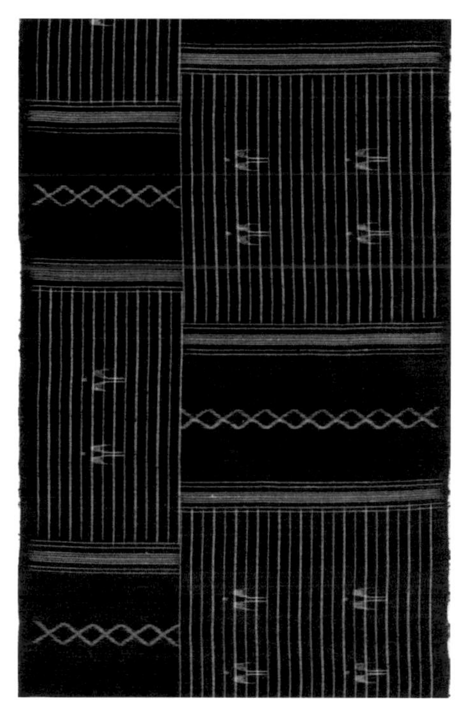

久米島紬「ヒチサギートリビーマ1玉」(1280×38)
桃原　積子(会員)

琉球絣着尺「御絵図」(1300×40)
大城　一夫(会員)

花織着物「かわたれ時」(178×145)
和宇慶　むつみ(会員)

準会員賞

八重山上布着尺「夏至南風」
(1350×40)
崎原　克友(準会員)

「夏至南風（カーチーベー）」とは六月頃まで吹き続くやや強い季節風のことを云う。昔はこの風を利用して琉球国は交易で富を得、栄えていた。北風で南方へ行き、南風で沖縄へ帰り、沖縄から本土等へと帆船で航海していた。

この作品はまるで大交易時代の勇壮、豪快、奔放な海の男たちの魂が甦ってくるような迫力に満ちている。

緯糸は手積みの苧麻で経ずらし絣、染色は八重山藍、福木、楊梅など天然の素材にもこだわり、デザイン、技量ともに抜群の腕前であると評価された。将来が楽しみである。

評－祝嶺　恭子（会員）

準会員賞

絣織着尺「花の舞」（1300×40）
島袋　知佳子（準会員）

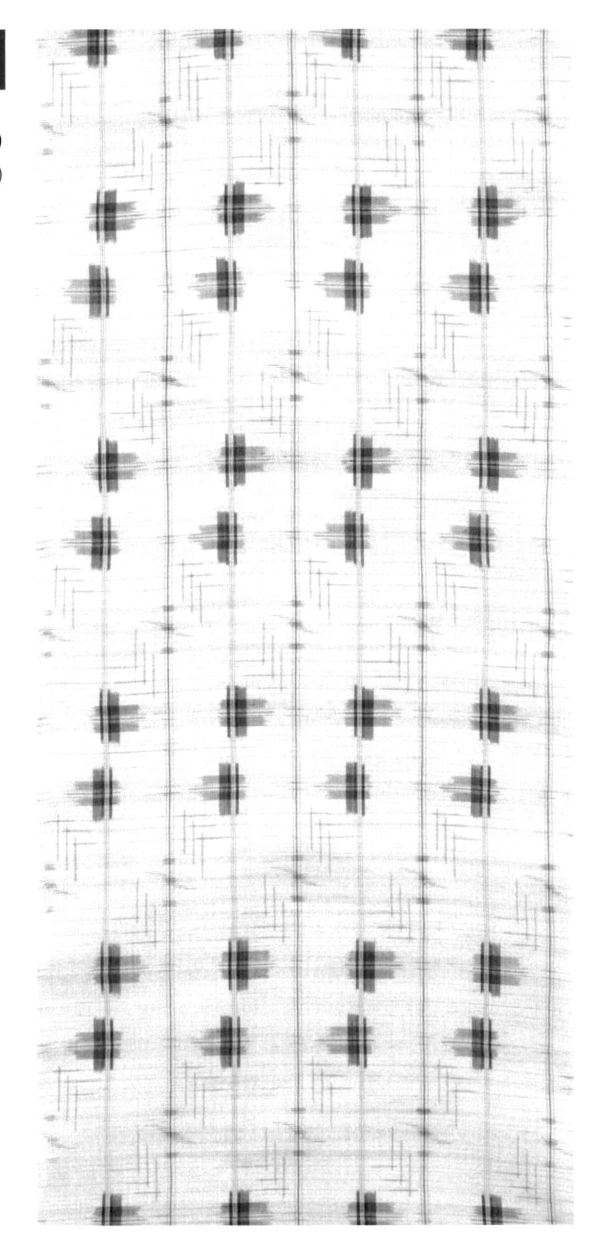

白上布に、さくら色の絣という若々しいデザインに思わず感嘆の声が上がりました。
絣のコチニール染織は、高温になると紫系が強くなってしまうので、むずかしい温度調節をよくされ、西洋茜と併用し、ピンク系の濃淡のさやわかな絣色だと思います。
白上布の絣は、地の部分を括り絣を染めるので、括る部分が多く、さらにこの作品は一模様のデザインに経絣が九ヶ所にあり、同じ色、同じ絣の長さ等をまとめる「真心（ましん）（中心）」という沖縄の経絣括りの技術をしっかりと生かし、ピンク系の濃淡や藍染がなされている。緯糸の苧麻は手績糸ということもあり、緯絣は布の両端の部分で余分に長く取ることなく、十ヶ所の緯絣がそれぞれ絣位置で括られ、括る作業の手間より、糸を大切に使用している。このように素材の持つ美しさや、味わい、さらに経緯絣の括技術等、これまで培った技量と感性の豊かさ等を感じられる作品です。今後のご活躍を期待しています。

評－新垣　幸子（会員）

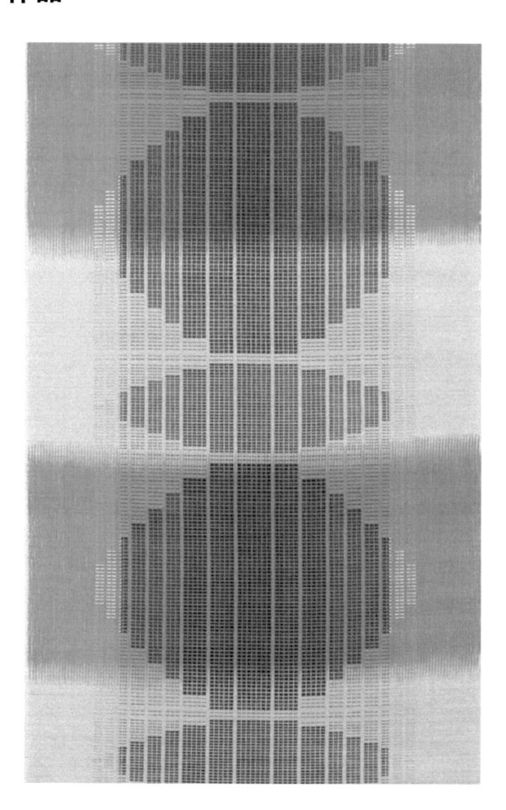

奨励賞

経浮花織九寸帯「環（たまき）」（550×36）
澤村 佳世

昨年の浦添市長賞に続き、今年の奨励賞受賞おめでとうございます。とてもインパクトのある作品でひときわ目を引きました。

経の絣を総絣にしたことで、絣のズレを最小限に抑えた工夫をしたことと思います。花織をグラデーションにして経絣と経浮花織の技法を組み合せた大胆な色使いに作者の感性がとても力強く表れた作品に仕上がっています。色の強さだけでなく、作品に透明感が出てくるともっとよくなると思います。

今後も創造性あふれる作品作りに取り組み、更なる活躍を期待しています。

評ー桃原　積子（会員）

奨励賞

ロートン織着物「夕凪きらり」（180×145）
大濵 真子

極細の生糸を用いて制作されており、ブルーを基調とした清涼感に溢れる涼やかな作品です。

経緯共に多くの異なる縞を用いて織られており、これだけ各種多くの縞を用いながらも統一感があり、ともすれば饒舌な縞織物となりがちですが、縞の色使いと、極細の糸使いが効果的で、作者の感性の良さが見てとれる個性的で魅力に溢れた着物です。

布が揺れるとロートンの浮き部分がきらりと光り宝石のようでもあり、ロートン織のもつ特徴を存分に生かしています。

難を言えば、裾の色違いの段が重たく感じられ、着物のもつ軽やかで、爽やかな印象を崩してしまっていることが惜しまれます。

難度の高い絹糸を用いながら斑もなく、均一に織り上げられており、仕事の丁寧さが感じられます。

これからの活躍を期待します。

評ー多和田　淑子（会員）

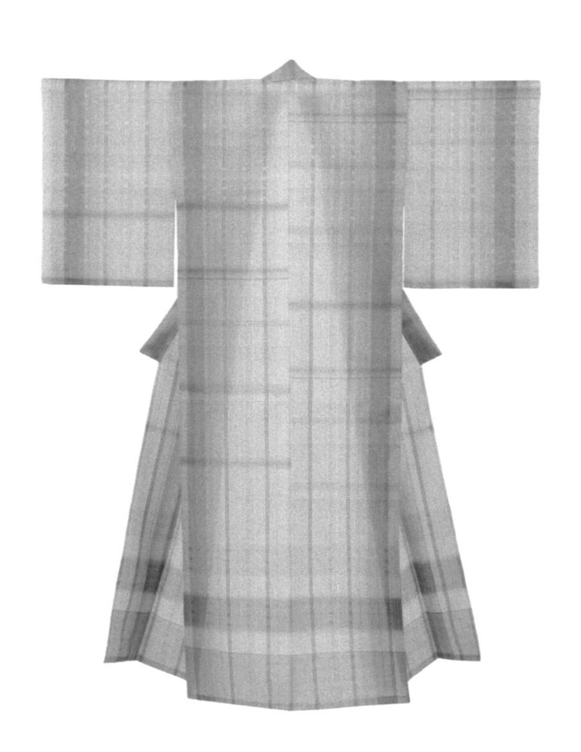

奨励賞

絽重花織着物「ミスト」（175×143）
加藤 幸乃恵

初出品、奨励賞受賞おめでとうございます。
経縞・花織・絽、それぞれの大きさ、形、配置、打ち込み段数の変化等々、細かく工夫された作品です。
経縞色糸が着尺巾いっぱい不規則に配置されているため、全体が“騒がしい”印象を受けました。また、絽の技法の特徴である“透け感”が生かされる配色が必要だったように思います。
次回以降も独創的な作品に出会える事を楽しみにしています。

評－和宇慶　むつみ（会員）

奨励賞

久米島紬着物「球美（くみ）の夕暮れ」（160×136）
仲地 洋子

久米島紬の伝統色である褐色の地色に、植物染料で多彩に染め分け、そして織分けられた絣柄が鮮やかに映えて、斬新な印象を与える。
絣糸を植物染料で染め分ける場合、その濃度やそれに伴う明るさのバランスを保ち、絣柄を表現するのは難しい作業だが、きちんとこなされており、伝統の中に新しい試みが生かされている。絣括り、織りのそれぞれの技術も高く、紬特有の柔らかく暖か味のある風合いも十分に伝わってくる。
注文を付けるとすれば、経緯十字絣のデザイン構成に、もうひと工夫あれば全体的にもっと奥行きのある作品になり、さらに高い評価を得られたのではと思う。
一昨年沖展賞、今回は奨励賞と着実に実績を積み重ねており、長年培われてきた技術力に加え、作者の久米島紬への想いと独自性の追究が実を結ぼうとしている。
仲地さん、次回作も期待しています。

評－真栄城　興茂（会員）

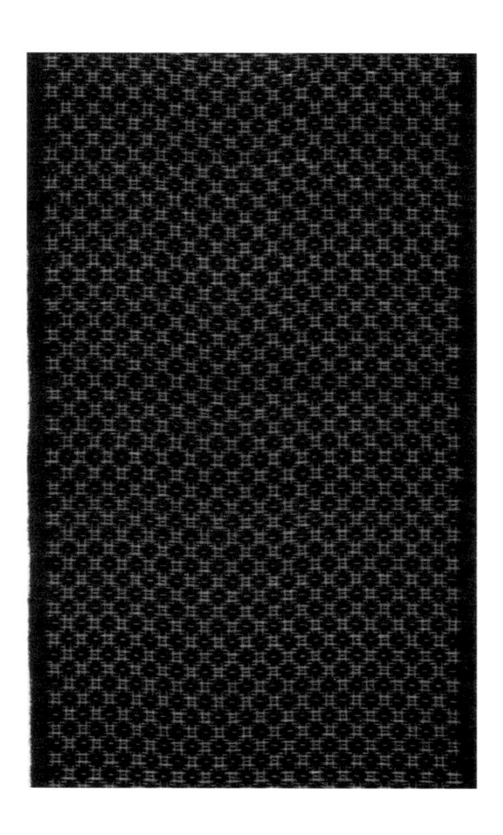

浦添市長賞

久米島紬着尺「井絣ゴーマー 15玉」（1293×38）
山城 智子

うるま市長賞

絣織帯地「珠のれん」（510×35）
小禄 有美子

ガラス部門

総評ー末吉　清一（会員）

前年より、一般応募が6名（7点）の増加で、準会員応募も2名（3点）増で、コロナ以降応募作品が増加に転じたことを嬉しく、心強く感じます。

準会員賞の友利さんの「灯影紅葉（ほかげもみじ）」は黒地に金箔、黄色、オレンジのカレット、パウダーを上手くミックスして、紅葉を表現し、クリアガラスで紅葉をあしらった大作です。欲を言えば紅葉を、楓の色、赤色で表現した器も見せてほしいと思いました。2013年の浦添市長賞から11年で会員推挙まで駆け上がったのは、アッパレです。

次に奨励賞の宮平さんは、去年の浦添市長賞に続いての入賞で、シーグラス廃瓶や貝殻、ステンドグラスの残り物等で、宮平さん独特の感性で表現し、仕上げています。作品下部から上部へ巻いているハブも、面白い表現です。

浦添市長賞の外間さんは、近年、力を付けてきた一人ですが、今回の作品「エジプト」は、何を表現したいのか？少し迷いを感じます。

うるま市長賞の仲榮眞さんは、初出品での入賞です。技術的なことや表現力にはまだまだ課題がありますが、ここからがスタートですので、精進し、より良い作品を期待します。

最後にe-no新人賞の今井さんの「日輪」は、作品名の通り太陽をイメージして制作されたようで、色の配色等、もう少し力強さが加われば、尚良い作品に仕上がったでしょう。U-30で大物にチャレンジしているのは共感が持てます。

2020年より下火になっていた、沖展ガラス部門は、徐々に復活していますので、来年以降が楽しみです。

会員作品

天ノ川銀河――末吉清一

準会員賞

灯影紅葉（ほかげもみじ）――友利龍

準会員作品

てぃんがーら――兼次直樹
水墨山水――兼次直樹
波――東新川拓也

奨励賞

ミチバタヤマハブ――宮平由美子

浦添市長賞

エジプト――外間健太

うるま市長賞

藤の花――仲榮眞鉄矢

e-no新人賞

日輪――今井勝彦

一般入選作品

華花瓶――池宮城翔
ビル街のオアシス――今井勝彦
「ケの日」の冷茶セット――小野資矢
庭のバラたち――久場直子
藤――久場直子
鼓動――佐久川亮
無題――鈴木信秀
地球の裏　まるであの時の〇〇だ!!――砂川泰典
深海に咲く華――田中基之
ウミイロ――玉城さやか
辰饗宴――知念孝斉
葡萄――當山みどり
海洋ゴミジュエリー《海花umibana》ネックレス――長濱梓
海洋ゴミジュエリー《海花umibana》ピアス――長濱梓
青い瞳――東恩納司
マト――東恩納司
新月と蔓の実――吉田栄美子

特別展示

白雲筒花瓶――稲嶺盛吉

天ノ川銀河　(H56×W55×D12)
末吉　清一(会員)

てぃんがーら　(H32×W32×D32)
兼次　直樹(準会員)

波　(H31×W52×D29)　**東新川　拓也**(準会員)

準会員賞

灯影紅葉（ほかげもみじ）　(H44×W26×D26) **友利　龍**(準会員)

友利龍さん準会員賞おめでとう御座います。2年連続準会員賞受賞で会員推挙です。
今回の作品は準会員の中で圧倒的な存在感で、全員一致で決まりました。
どっしりとした筒花瓶をベースに、カレットを散りばめ金箔を取り入れる事で紅葉の茶色・黄色・赤色を上手く表現した作品に仕上がっています。
友利さんはこれまでにいろいろな技法でチャレンジしておりますが、今回の作品は琉球ガラスの原点である宙吹き法で出されており、友利さんのガラスに対する思いを強く感じました。
これを機に来年からはチャレンジする側から審査する側に変わりますが、今まで以上に考え、今まで以上に悩んで頑張っていきましょう！

評－稲嶺　盛一郎（会員）

奨励賞

ミチバタヤマハブ　(H65×W37×D40)
宮平　由美子

宮平由美子さん、初の奨励賞おめでとうございます。
作品「ミチバタヤマハブ」は、一枚ずつガラスをハンダ付けで組み合わせて一つの作品にするとても根気のいる作業です。
一個一個のパーツの顔を見ながら考え、出来上がりのイメージと照らし合わせながら作品からは楽しさも感じられますが、それ以上に苦労も感じる作品でした。
ガジュマルの隙間からハブが覗いている構図から女性らしさを感じる一方で、ガジュマル自体の大きさ、動きは共に迫力があり、女性作家さんが作ったとは思えない程の迫力を感じる作品に仕上がっていました。
この表現力をベースに次回はシーグラスだけのパーツを使った作品を是非見てみたいです。今後の制作を楽しみにしています。

評－稲嶺　盛一郎（会員）

浦添市長賞

エジプト　(H54×W30×D30)
外間　健太

うるま市長賞

藤の花　大(H18×W24×D24)
　　　　小(H10.5×W12.3×D12.3)
仲榮眞　鉄矢

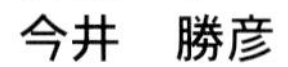新人賞

日輪　(H28×W28×D32)
今井　勝彦

木工芸部門

総評ー西村　貞雄（会員）

今回の応募者数は、一般応募10人で12点、準会員2人で2点である。

一般応募の入選作品は10点で、選外となったのは2点であった。その内の1点は木工芸の範疇ではなく、自然木を加工したものに止まっている。もう1点は、出品された2点の傾向に極端な違いがあり、その内1点が選外となった。技術とデザインのバランスがとれていないという判断であった。

審査に当たっては応募された作品を総見した後に、一点ごとに作品について木工芸の趣旨に適しているかを議論して入落を決めた。

審査の結果、応募作品の数は少ない中にも質の高い作品があり、沖展賞に伊地優氏の「東道盆」、奨励賞に2点、玉城正昌氏の「コーヒータイム」と新里洋子氏の「菓子器　牡丹」が選ばれた。木工芸として技術とデザインとの兼合いが優れていることが評価された。

上記の受賞についての評は賞ごとに会員が行うので、ここでは浦添市長賞、うるま市長賞、e-no 新人賞について評したい。

浦添市長賞の小橋川剛右氏「琉球松の水盤」は、琉球松の木目を活かした大柄な作品である。一般に水盤には陶磁器製などの鉢が見られるが、この鉢は木製である。琉球松の特性に水盤という発想がマッチし、重厚な趣のある作品になっているところが評価された。うるま市長賞の照屋盛人氏「網代模様盆」は、ヒバの材質に柿しぶで柔和な雰囲気を出した丸盆である。その中に網代模様を配しているが、縁の一部を取りさり、表面から裏面まで彫り込んでいる工夫は大胆な発想で、ユニークさが際立つ作品である。

e-no 新人賞の、幸地七海氏「胡坐椅子」は、シナベニヤの合板を用いた椅子である。合板による断面の処理とレーザー加工された曲面の美しさが合わさって心地よいリズム感が見られる。シンプルな形に加工した技術が評価された作品である。

準会員賞に二人が選ばれた。屋部忠氏の「夜明け」と野田洋氏の「琉球松輪 団扇車」である。両者の技法が選出されたことは今後の木工芸の発展の指標となる兆しを思わしめるものである。

会員作品

ミニ飾り衝立――奥間政仁
墨壺――與那嶺勝正
花器「芽生え」――與那嶺勝正

準会員賞

琉球松輪　団扇車――野田洋
夜明け――屋部忠

沖展賞

東道盆――伊地優

奨励賞

菓子器　牡丹――新里洋子
コーヒータイム――玉城正昌

浦添市長賞

琉球松の水盤――小橋川剛右

うるま市長賞

網代模様盆――照屋盛人

e-no新人賞

胡坐椅子――幸地七海

一般入選作品

重箱――伊地優
鳥籠――當山全栄
TLL積み木型ボックス3点セット――長嶺忠雄
レイヤー容器――ロス梨沙

特別展示

乾漆椰子皮朱塗花器――津波敏雄

ミニ飾り衝立　(H58×W81×D24) **奥間　政仁**(会員)

墨壺　(H15×W30×D15) **與那嶺　勝正**(会員)

準会員賞

琉球松輪　団扇車　(H52×W38×D30) **野田　洋**(準会員)

琉球松材でもって創作する常連作家である。轆轤(ろくろ)を使って輪を組み合わせた作品は複雑な構成をし、今まではボトルを入れる仕組みの作品が出品されてきた。今回の作品はこれまでの技術を発展させた作風である。

輪を組み合わせ、幾重にも込み入った構造に妙味を与えていることに感心する。輪の構成を母体にし、羽根を取り付けた軸でもって旋風する仕組みが、すべて松材で造られ、駆使された技術が見られる作品である。

評－西村　貞雄（会員）

準会員賞

夜明け　(H180×W60×D10)　屋部　忠(準会員)

第72回展沖展賞、第73回展浦添市長賞、第74回展沖展賞、今回の準会員賞と連続受賞の快挙である。

第72回展の作品も最高度の組子技法を駆使されていた。「組子」は釘を使わずに幾何学模様を組み付ける木工技術で、普通は、障子や欄間、襖など建具の部分に組み込まれて少しのずれも許されないので、木の使い方を判断する能力、そして、正確さが求められる精密な加工技術が要求される。「組子」は、基本的には直交して作り上げられるが、今回の受賞作は、平面のデザイン化された板を組み込み、しかも曲線で組み合わせるという超難度の技法が要求されるものであるが、見事に仕上がった。

作品のタイトルの「夜明け」はコロナも戦争もない明るい希望の年になることを期待して付けたようです。

評－奥間　政仁（会員）

沖展賞

東道盆　(H15×W28×D28) **伊地　優**

伊地さん、初出品で沖展賞おめでとう御座居ます。
伊地さんは県の工芸振興センターへ1年半程通って木工技術をマスターされ、彫刻はインターネットや本から独学でマスターしたとの事です。作品は上蓋と本体部分で伝統的な木工技術を駆使して作られています。上蓋には鳥とぶどうが施されています。鳥は生命、ぶどうは恵みの象徴です。自然の美しさを木彫技巧によって見事に表現されています。特にネコ脚の加工部は丁寧に作られていて印象に残ります。

評－與那嶺　勝正（会員）

奨励賞

コーヒータイム　(H40×W94×D50)
玉城 正昌

第74回展奨励賞、そして今回の奨励賞と連続の受賞である。今回は象嵌技法が用いられている。地となる木を模様になる形にくり抜いて、そこにぴったりと違う木を嵌めていく高度で精緻な技術が要求される。天板には、色の異なる米ヒバ（白色系）とニヤトー（焦げ茶系）を用いて、色彩的に調和のとれた寄木になっている。また、天板中央部の象嵌は現代風で上品で爽やか感がある。脚部はシンプルだが天板のニヤトーとの統一感がとれている。天板と脚部との接合の加工技術は熟練の賜物である。今後の活躍を期待しています。

評－奥間　政仁（会員）

奨励賞

菓子器　牡丹　(H6×W18×D18)
新里　洋子

新里さん、初出品で奨励賞おめでとう御座居ます。
トチの木を素材に、蓋付きの挽き物の木地に牡丹の花の彫刻を施した作品です。アドバイスとして牡丹の花はキャベツをイメージして花弁を付けていくとより牡丹に見えます。花の配置と色付けは立体感があり良いと思います。彫る技術はかなり出来ていますので、この賞を励みにして頑張って下さい。今後の作品を楽しみにしております。

評－與那覇　勝正（会員）

浦添市長賞

琉球松の水盤　(H13×W100×D70)
小橋川 剛右

うるま市長賞

網代模様盆　(H2×W28×D24)
照屋 盛人

e-no新人賞

胡坐椅子　(H70×W70×D44)
幸地　七海

物故会員 略歴

稲嶺(いなみね) 盛吉(せいきち)（1940～2023）

1940年那覇市生まれ。15歳で奥原硝子製造所に。以降、60年以上制作に励み、独創的で個性あふれる作品は琉球ガラスのイメージを一新。琉球ガラスで泡ガラスの技法を確立し、沖縄の工芸品としての価値を高めた。89年沖展会員、94年「現代の名工」に選ばれる。国際的な評価も高く、01年にはパドヴァ国際見本市聖アントニウス芸術大賞（イタリア）、02年に「ストックホルム平和芸術祭」平和貢献賞（スウェーデン）などを受賞した。

略歴

1940年（昭和15年）	那覇市生まれ
1983年（昭和58年）	第35回沖展 奨励賞
1985年（昭和60年）	第37回沖展 沖展賞、準会員推挙
1988年（昭和63年）	宙吹ガラス工房「虹」設立
1989年（平成元年）	第41回沖展 準会員賞、会員推挙
1994年（平成6年）	「現代の名工」を受章
1998年（平成10年）	第32回沖縄タイムス芸術選賞 大賞、
2001年（平成13年）	パドヴァ国際見本市聖アントニウス芸術大賞（イタリア）
2002年（平成14年）	「ストックホルム平和芸術祭」ストックホルム平和貢献賞（スウェーデン）「第6回モナコ日本文化フェスティバル」モナコ公国・名誉賞（モナコ）
2005年（平成17年）	中国現代国際美術展 藝術功労賞
2023年（令和5年）	9月30日没（享年83歳）

津波(つは) 敏雄(としお)（1939～2023）

1939年与那原町生まれ。第12回沖展漆器部門で初出品。第22回沖展漆芸部門で2度目の準会員賞を受賞し会員推挙。その後漆芸部門会員を退会。一般応募で第66回沖展木工芸部門沖展賞を受賞。第67回沖展で奨励賞し準会員推挙。第70回沖展で2度目の準会員賞を受賞し会員推挙。

略歴

1939年（昭和14年）	与那原町生まれ
1960年（昭和35年）	第12回沖展（漆器）初出品
1970年（昭和45年）	第22回沖展（漆芸）準会員賞受賞、会員推挙
2011年（平成23年）	第3回沖縄ねんりんピックかりゆし美術展 県知事賞
2012年（平成24年）	全国健康福祉祭「ねんりんピック宮城・仙台2012美術展」（工芸の部）「乾漆椰子皮朱塗花器」厚生労働大臣賞
2014年（平成26年）	第66回沖展（木工芸）沖展賞受賞
2018年（平成30年）	第70回沖展（木工芸）準会員賞受賞、会員推挙
2023年（令和5年）	3月27日（享年83歳）

宮城(みやぎ) 祥(よし)（1942～2023）

1942年那覇市生まれ。1964年第16回沖展商業美術部門で沖展賞を受賞。1971年第23回沖展商業美術部門で準会員賞。1981年第33回沖展デザイン部門で2度目の準会員賞を受賞し、会員推挙された。ベレー帽がトレードマークで応募作品に温かい目線で審査に参加していた。

略歴

1942年（昭和17年）	那覇市生まれ
1962年（昭和37年）	「那覇の産業と観光展」 観光ポスターの部　市長賞
1964年（昭和39年）	第16回沖展（商業美術）沖展賞
1971年（昭和46年）	第23回沖展（商業美術）準会員賞 「1971年度 水難事故防止宣伝ポスター」一般の部　第一位
1981年（昭和56年）	第33回沖展（デザイン）準会員賞、 会員推挙
2023年（令和5年）	2月20日没（享年80歳）

沖展のあゆみ

第１回（1949年）

沖縄タイムス創刊１周年記念事業として発足。7月2日〜3日、崇元寺旧本社。第一部絵画審査作品20点、第二部招待30点、第三部公募18点、計68点。

〔タイムス美術賞〕（絵画）大村徳恵

第２回（1950年）

10月14日〜16日、那覇高校同窓会館。絵画審査作品15点、公募54点、計69点。

〔沖縄タイムス賞〕（絵画）大嶺信一、仲里勇、屋宜盛功

第３回（1951年）

11月３日〜５日、那覇琉米文化会館。今回からアンデパンダン展（無審査制）絵画60点、彫刻（新設）4点。一般投票で、金城安太郎、出品者全員と一般美術愛好家の投票で山元恵一の両氏がそれぞれ１位を得た。

第４回（1952年）

11月15日〜17日、那覇琉米文化会館。前回と同じくアンデパンダン展。絵画82点、彫刻７点。

〔入賞〕（絵画）山里永吉

一般投票で大城皓也、柳光観の両氏が１位を得た。

第５回（1953年）

３月27日〜31日（今回から会期３日間を５日間に延長）、那覇高校新校舎。アンデパンダン展。絵画75点（はじめて米婦人の出品があった。）彫刻７点。

第６回（1954年）

３月27日〜31日、那覇高校。

アンデパンダン展を廃して審査制を復活。新たに沖展運営委員会を設ける。（委員）名渡山愛順、山田真山、山元恵一、山里永吉、仲里勇、嘉数能愛、末吉安久、安谷屋正義、玉那覇正吉、大城皓也、安次嶺金正、島田寛平、大嶺政寛（委員長）豊平良顕（本社）。絵画151点、彫刻10点、今回から新たに工芸部（紅型、陶器、漆器、堆錦）計81点と書道部53点が新設。本土から絵画８氏の招待出品あり。

〔入賞〕（絵画）池原喜久雄、安次富長昭

第７回（1955年）

３月26日〜30日、壷屋小学校。

〔陳列〕絵画180点、彫刻12点、書道38点、工芸121点。今回は南風原コレクション20点と中央画壇からの賛助出品17点、展示総点数388点。

島田寛平氏に本社から美育功労賞を贈る。

〔入賞〕（絵画）大城宏捷、榎本正治、高江洲盛一、金城清二郎、上原浩、当間辰、真座幸子（彫刻）宮城哲雄

第８回（1956年）

３月24日〜28日、壷屋小学校。

〔陳列〕南風原コレクションと本土から賛助出品（63点）の特別出品のほか絵画、彫刻、紅型、陶器、漆器、書道さらに今回から写真の部が新設された。絵画186点、彫刻13点、書道49点、工芸119点（紅型40点、陶器57点、漆器８点、玩具14点）写真（新設）108点。

〔入賞〕（絵画）当間幸雄、山里昌弘、大城喜代治、翁長以清、長田トヨ（紅型）渡嘉敷貞子（写真）池村義博、恵常人、伊集盛吉（琉球玩具）崎山嗣昌（陶器）金城敏男（書道）池村恵祐、当間誠一

第９回（1957年）

３月23日〜27日、壷屋小学校。

〔陳列〕絵画215点、彫刻13点、工芸部205点（紅型織物41点、陶器123点、漆器28点、玩具13点）書道67点、写真202点。ほかに絵画で沖縄ではじめてのフランス現代作家24人の38点を展示。書道では、日本書道連盟賛助出品10点、陶器と紅型では陶芸家、浜田庄司氏の２点、国画会々員芹沢銈介氏の紅型１点、写真では大阪の北斗クラブ主宰延永実氏ほか５人の36点や南風原コレクション20点が展示された。

〔入賞〕（絵画）大城栄誠、浦添健、安元賢治、深見桂子、下地明増、富川盛智、喜久村徳男、真喜屋謙、西平和子（彫刻）翁長自修、玉那覇清徳（書道）比嘉宗一、当間誠一、仲間輝久雄、井上光晴、島袋健光（写真）与座義治、新条鉄太郎、松田清、ビル・ジ・バーナー、金城順一、田仲幹夫、山本達人、荒垣顕治（陶器）照屋陽、金城敏男、小橋川永弘、金城敏雄、翁長自修、島袋常一、島袋常明、小橋川永仁（紅型）城間道子、藤村玲子

第10回（1958年）

創立10周年。３月23日〜27日、壷屋小学校。

〔陳列〕絵画98点、彫刻13点、書道94点、写真85点、工芸183点、ほかに日本版画院作品特陳25点、総点数473点。

10周年を記念し大嶺政寛、大城皓也、山元恵一、名渡山愛順の４氏に沖展創立以来の運営委員としての功績をたたえて本社から感謝状と記念品を贈った。

〔入賞〕（絵画）岸本一夫、屋良朝春、浦添健（彫刻）大山勝、比嘉敏夫（書道）島耕爾、池村恵祐、新垣洋子（写真）鹿島義雄、安里芳郎、当真荘平、川平朝申、親泊康哲、新条鉄太郎（陶器）金城敏男、島袋常明

第11回（1959年）

３月21日～25日、壷屋小学校。

〔陳列〕絵画207点、彫刻21点、書道95点、写真150点、工芸283点、春陽会選抜新人５氏の作品、本土作家（郷土出身も含む）の絵画、陶器など33室に陳列。

開会中ジャパン・タイムス美術評論家エリゼグリー女史が来場し、出品作品に対し批評があった。

〔入賞〕（絵画）神山泰治、大嶺実清、下地明増、大宜味猛、下地寛清（彫刻）大城宏捷（書道）比嘉宗一、池村恵祐、宮平良昭、糸嶺篤順（写真）山本達人、安里キヨ子、幸地良一、比嘉良夫、太田文治、東風平朝正（陶器）新垣栄一、小橋川永仁、小橋川永弘、島袋常明

第12回（1960年）

３月23日～27日、壷屋小学校。

〔陳列〕絵画273点、彫刻20点、書道100点、写真130点、工芸214点。

ほかに本土作家の招待作品、早稲田大学の特別出品による埴輪、縄文土器などがあった。

〔入賞〕（絵画）嘉味田宗一、宮良薫、永山信春、島袋嘉博、西銘康展、三宅利雄、山城善光（彫刻）上原隆昭、宮城篤正、上原秀夫（書道）当間誠一、佐久本興鴻、宮平良顕、渡口美子、糸嶺篤順、金城広、金城美代子（写真）東風平朝正、金城吉男、宮平真英、伊集盛吉（陶器）島袋常明、大城将俊、大城宏捷、高江洲育男、島袋常恵、金城敏男（染色）糸数隆、嘉数幸子、城間栄順、宮城光子、嘉陽宗久、城間千鶴子（織物）真栄城興盛

第13回（1961年）

３月30日～４月３日、壷屋小学校。

〔陳列〕絵画238点、彫刻24点、書道90点、写真80点（うちカラー２点）工芸（陶器103点、織物43点、染色48点、漆器20点、玩具５点）計219点。このほか本土招待出品として朝日新聞社の選抜秀作美術展、棟方志功の版画作品、女子美術大学沖縄紅型絣伝統工芸研究グループ８人による作品、本土在住郷土出身の作品を特別陳列。

〔沖展賞〕（絵画）神山泰治（染色・織物）漢那貞子（書道）糸嶺篤順（陶器）金城敏男（写真）豊島貞雄

〔奨励賞〕（絵画）当間善光、城間喜宏、上原浩、安元賢治、永山信春、宮良薫（彫刻）喜久村徳男、上原隆昭、城間喜宏（染色・織物）嘉数幸子（書道）宮城政夫、定歳実勇、宮平清徳、池村恵祐、国吉芳子（陶器）島武巳、島袋常一、宮城安雄、高江洲育男（写真）中山東、照屋寛、名渡山愛誠

第14回（1962年）

３月30日～４月３日、壷屋小学校。

〔陳列〕絵画204点、彫刻23点、書道127点、写真124点、工芸（陶器75点、織物24点、染色61点、漆器18点、玩具１点、ガラス19点）計198点。ほかに日本民芸協会の作品154点、故南風原朝光氏の遺作22点、渡嘉敷貞子さんの紅型作品25点を特別陳列。

〔沖展賞〕（絵画）仲地唯渉（彫刻）玉栄宏芳（書道）定歳実勇（写真）大嶺実（陶器）島武巳（染色）城間千鶴子

〔奨励賞〕（絵画）城間喜宏、治谷文夫、塩田春雄、大浜用光、大嶺実清（彫刻）田港イソ子、上原隆昭（書道）宮良喬子、宮城政夫、玻名城泰雄、当間誠一、浦崎康哲（写真）金城吉男、宮平真英、永井博明、松島英夫、川平朝申（陶器）島袋常一、島袋常登、小橋川永勝（染色）儀間静子（織物）新垣ナヘ、山元文子

第15回（1963年）

３月30日～４月３日、壷屋小学校。

〔陳列〕絵画156点。彫刻17点、書道125点、写真103点、工芸（陶器55点、漆器14点、織物21点、染色31点、ガラス13点、玩具１点）137点、商業美術38点。

今回から会員、準会員、客員制度を設け、従来の本土作家の招待出品制を取りやめる。沖展15周年に当り、“市中パレード”や恒例の“カーミスーブ”を行なう。商業美術部を新設。15周年を記念し、創立以来運営委員として尽力した大嶺政寛、大城皓也の両氏に沖展功労賞を贈った。

〔準会員賞〕（絵画）城間喜宏（陶器）島袋常明（染色）知念績弘

〔沖展賞〕（絵画）丸山哲士（商業美術）岸本一夫（彫刻）玉栄宏芳（書道）定歳実勇（写真）石川清廉（陶器）島武巳

〔奨励賞〕（絵画）島袋嘉博、西銘康展、与座宗俊、具志堅誓謹（商業美術）志喜屋孝英、翁長自修、舟路興八、喜屋武安子（書道）糸洲朝薫、宮良喬子、国吉芳子、高良弘英（写真）豊島貞夫、松島英夫、金城吉男、中山東（陶器）新垣栄信（漆器）津波敏雄

第16回（1964年）

３月28日～４月２日、壷屋小学校。

〔陳列〕絵画155点、彫刻35点、商業美術39点、書道123点、写真119点、工芸（陶器90点、漆器６点、織物11点、染色32点、ガラス４点）計143点。“カ－ミスーブ”で陶芸家の浜田庄司氏が模範演技を披露。

〔準会員賞〕（絵画）治谷文夫、安元賢治、具志堅誓謹（商業美術）翁長自修、岸本一夫（書道）定歳実勇、糸嶺篤順（織物）平良敏子（染色）玉那覇道子

〔沖展賞〕（絵画）儀間朝健（彫刻）田港イソ子（商業美術）宮城祥（書道）糸洲朝薫（写真）伊波清孝（陶器）島袋常一

〔奨励賞〕（絵画）与座宗俊、喜友名朝紀（彫刻）平川勝成、宮里昌健、友利直（商業美術）比嘉良仁、伊川栄治（書道）国吉芳子、石垣真吉、豊平信則、宮平清徳（写真）島耕爾、大城長成、松島英夫、根津正明（陶器）新垣薫、新垣栄一（漆器）津波敏雄、古波鮫唯一、原国政祥（染色）具志堅美也子、金城昌太郎

第17回（1965年）

３月30日～４月３日、壷屋小学校。

〔陳列〕絵画141点、彫刻23点、商業美術33点、書道87点、写真80点（うちカラー16点）、工芸（陶器37点、漆器27点、織物30点、染色32点、ガラス15点）計141点。“カーミスーブ”に加えて、八重山の書道グループによる獅子舞いが特別参加。美術館建設のための署名も同会場で行なわれた。

〔準会員賞〕（絵画）安元賢治、治谷文夫、城間喜宏（商業美術）舟路興八（書道）池村恵祐、糸嶺篤順（写真）松島英夫（陶器）島袋常恵

〔沖展賞〕（絵画）渡慶次真由（商業美術）平敷慶秀（書道）糸洲朝薫（陶器）新垣栄世（漆器）前田孝允＝デザイン、有銘寛順＝製作（織物）宮平初子

〔奨励賞〕（絵画）稲嶺成祚、新城美代子、平良晃、大浜英治（彫刻）嘉味元平仁、富元明雄、与座宗俊（商業美術）伊川栄治、山田栄一、宮城保武、瀬底正憲、新垣正一（書道）吉峯弘祐、玻名城泰雄、下地喬子、飯田恒久（写真）中山竜男、新里紹正、備瀬和夫、伊波清孝（陶器）新垣栄信、小橋川永勝（漆器）前田孝允＝デザイン、大見謝恒正＝製作、嘉手納憑勇、長嶺但従（染色）城間栄順、嘉陽宗久（織物）与那嶺貞

第18回（1966年）

３月30日～４月３日までの５日間、壷屋小学校。

〔陳列〕絵画157点、彫刻38点、商業美術43点、書道96点、写真82点（うちカラー13点）、工芸（陶器73点、漆器25点、織物28点、染色33点、ガラス４点、玩具５点）計168点。

〔準会員賞〕（絵画）治谷文夫（彫刻）宮城哲雄（写真）小林昇（商業美術）比嘉良仁（陶器）島袋常恵（書道）池村恵祐（染色）城間栄順（織物）宮平初子

〔沖展賞〕（絵画）渡慶次真由（写真）島耕爾（商業美術）宮城保武（書道）玻名城泰雄（陶器）新垣栄世（漆器）前田孝允＝デザイン、原国政祥＝製作

〔奨励賞〕（絵画）和宇慶朝健、大浜英治、島袋嘉博（彫刻）平良昭隆、西村貞雄（写真）森幸次郎、曽根信一、中村幸裕、佐久川政功（商業美術）新垣正一、相羽立矢、仲元清輝（書道）上原せい子、上原彦一、与那覇よし子、金城順子、吉峯弘祐（陶器）国吉清尚、島袋常登、新垣勲（漆器）大見謝恒正、渡口政雄、有銘寛順（染色）安藤順子、金城昌太郎（織物）大城志津子、浦崎康賢

第19回（1967年）

３月30日から４月３日までの５日間、壷屋小学校。

〔陳列〕絵画123点、彫刻32点、写真86点、商業美術42点、書道97点、陶器78点、染色39点、織物38点、漆器28点、ガラス３点、計569点。

〔準会員賞〕（絵画）上原浩（写真）島耕爾（商業美術）伊川栄治（陶芸）島袋常明（書道）糸洲朝薫、玻名城泰雄（漆芸）前田孝允

〔沖展賞〕（絵画）新城美代子（彫刻）西村貞雄（写真）中村幸裕（商業美術）相羽立矢（書道）上原彦一（陶芸）島袋常一（織物）大城志津子（漆芸）古波鮫唯一

〔奨励賞〕（絵画）大浜英治、近田洋一（彫刻）砂川安正（写真）伊波清孝、佐久川政功、備瀬和夫（商業美術）新垣正一、城間善夫、宮良薫、上地昭子（書道）金城順子、糸洲朝計、高良弘英、高江洲康政、与那覇よし子（陶芸）高江洲康謹、湧田弘、新垣勲（染色）安藤順子（織物）与那嶺貞、大城清助、浦崎康賢（漆芸）長嶺但従、長嶺真清

第20回（1968年）

20周年記念展。３月30日から４月３日までの５日間、壷屋小学校。

〔陳列〕絵画117点、彫刻28点、商業美術47点、書道104点、写真90点、陶芸77点、漆芸29点、織物31点、染色44点、玩具５点、計572点。嘉数能愛、南風原朝光、榎本正治、安谷屋正義、森田永吉、島田寛平、島耕爾各氏の遺作の展示。

20周年記念式展は30日、沖縄タイムスホールで行なわれ、会員60人、準会員49人、会場提供の壺屋小学校へ記念品と賞状を贈る。

〔準会員賞〕（絵画）上原浩、神山泰治（商業美術）比嘉良仁（書道）国吉芳子、玻名城泰雄（陶芸）島袋常明

〔沖展賞〕（絵画）大浜英治（書道）上原彦一（陶芸）湧田弘（商業美術）仲元清輝（写真）有銘盛紀（彫刻）西村貞雄

〔奨励賞〕（絵画）和宇慶朝健、下地正宏、ブレンド・キンガリー、ハーレンアンソニー（彫刻）池城安昭（商業美術）宮良薫、具志弘樹、上地伊知郎（書道）金城順子、松井政吉、上原せい子、高良弘一（写真）森幸次郎、根津正昭、友利哲夫、佐久川政功（陶芸）新垣栄一、島袋常一、島袋常登（漆芸）嘉手納憑勇、伊波秀正、小那覇安義（織物）松本治子、新垣ナヘ

第21回（1969年）

３月29日から４月３日まで（３月31日は休み）５日間、那覇高校。

〔陳列〕絵画106点、彫刻42点、商業美術51点、書道98点、写真81点、陶芸74点、漆芸25点、織物30点、染色29点、玩具４点、計540点。

〔準会員賞〕（絵画）稲嶺成祚、浦添健（商業美術）山田栄一、宮良薫（書道）国吉芳子、糸洲朝薫（陶芸）新垣栄世（漆芸）津波敏雄（染色）城間栄順

〔沖展賞〕（商業美術）新屋敷孝雄（写真）呉屋永幸（書道）上原彦一

〔奨励賞〕（絵画）和宇慶朝健、普天間敏、上地弘（彫刻）具志堅宏清、砂川安正、与那原勲（商業美術）相羽立矢、具志弘樹、金城育子、富村政宏、平良長伸、嵩西利夫（写真）森幸次郎、ジャンパーマー（書道）与那覇よし子、金城順子、豊平信則、吉峯弘祐（陶芸）島袋常登、新垣勲、高江洲康謹、島袋常一（漆芸）金城唯喜、伊波秀正（織物）大城清助、大

城広四郎

第22回（1970年）

３月30日から４月２日まで４日間、那覇商業高校。
〔陳列〕絵画109点、彫刻30点、商業美術52点、書道104点、写真84点、陶芸82点、漆芸30点、織物32点、染色35点、玩具３点、計561点。
会員、準会員推挙
〔会員〕（漆芸）津波敏雄（彫刻）西村貞雄（商業美術）宮良薫
〔準会員〕（彫刻）池城安昭（商業美術）新垣正一（写真）有銘盛紀（絵画）大浜英治
〔準会員賞〕（商業美術）具志弘樹（書道）糸洲朝薫（写真）森幸次郎、豊島貞夫（漆芸）津波敏雄（彫刻）西村貞雄
〔沖展賞〕（商業美術）光瀬善治（写真）有銘盛紀（陶芸）新垣勲
〔奨励賞〕（絵画）普天間敏、具志恒勇、比嘉武史（彫刻）糸数正男、池城安昭（商業美術）喜舎場正一、渡嘉敷哲郎、仲元清輝、大久保彰（書道）我喜屋汝揖、当間裕、新垣昌也、渡口嘉三、伊波英子（写真）平良孝七、岡本恵紘、新川唯介（陶芸）島袋常一、新垣栄一、島袋常秀（漆芸）前田国男（織物）大城廣四郎、桃原厚助、大城繁雄（染色）屋比久直子、大城美登里

第23回（1971年）

３月31日から４月３日まで４日間、那覇商業高校。
〔陳列〕絵画111点、彫刻26点、商業美術54点、書道87点、写真94点、陶芸81点、漆芸25点、染色26点、織物35点、玩具３点、計542点。
会員・準会員推挙
〔会員〕（書道）糸洲朝薫（陶芸）小橋川永仁（写真）森幸次郎
〔準会員〕（絵画）喜久村徳男、喜友名朝紀、儀間朝健、普天間敏（陶芸）新垣勲、新垣栄一、島袋常一（書道）上原せい子（写真）呉屋永幸（商業美術）仲元清輝
〔準会員賞〕（写真）備瀬和夫、森幸次郎（商業美術）新垣正一、宮城祥（書道）吉峯弘祐（陶芸）小橋川永仁（染色）藤村玲子
〔沖展賞〕（絵画）田場博文（写真）呉屋永幸（商業美術）平安座資成（書道）上原せい子（陶芸）新垣勲（漆芸）前田国男
〔奨励賞〕（絵画）上地弘、大城清、高島彦志、普天間敏（写真）比嘉豊光、池宮三千男、Leonard.A.Johnson（商業美術）新屋敷孝雄、喜舎場正一、銘苅清市、仲元清輝（書道）新垣昌也、当間裕、波照間三蔵（彫刻）大城好子、稲嶺光男、友知雪江（陶芸）島袋常戸、新垣勉、島袋常一（漆芸）新垣良子（染色）屋比久貞子（織物）高江洲正子、諸見勝美

第24回（1972年）

３月28日から４月４日まで８日間、神原中学校。
〔陳列〕絵画112点、彫刻25点、商業美術57点、書道82点、写真89点、陶芸89点、漆芸27点、染色35点、織物43点、玩具４点、計563点。
会員・準会員推挙
〔会員〕（陶芸）小橋川永弘
〔準会員〕（書道）当間裕（漆芸）前田国男（商業美術）佐久本好夫
〔準会員賞〕（商業美術）宮城保武（写真）有銘盛紀（書道）高良弘英
〔沖展賞〕（商業美術）照谷恒宣（写真）小橋川門福（書道）登川正雄（陶芸）新垣勲（漆芸）前田国男
〔奨励賞〕（絵画）大城清、佐久本伸光、運天真津子、金城進（彫刻）川平恵造、長嶺よし、津波古稔（商業美術）城間善夫、伊波興太郎、高島彦志、佐久本好夫（写真）津野力男、上地安隆、平良正一郎（書道）当間裕、安室哲夫（陶芸）島袋常秀、上江洲茂生、仲本克（漆芸）新垣良子、神山義照、さだ江・Y・ウォルターズ（染色）屋比久貞子、玉那覇有公（織物）桃原ナヘ、大城誠光、大城カメ

第25回（1973年）

25周年記念、３月29日から４月４日まで（31日は休み）の６日間、那覇高校。
〔陳列〕絵画119点、彫刻19点、デザイン44点、書道80点、写真85点、陶芸86点、漆芸22点、染色28点、織物34点、玩具４点、計521点。
25周年を記念して会員と準会員に感謝状と記念楯を贈り、沖展賞受賞の６氏を東京旅行に招待、春陽展と国展を見学。
会員・準会員推挙
〔会員〕（絵画）渡慶次真由、下地寛清（デザイン）宮城保武、具志弘樹、相羽立矢
〔準会員〕（絵画）比嘉武史（デザイン）喜舎場正一、大久保彰（彫刻）長嶺よし（織物）大城カメ、大城広四郎（陶芸）小橋川永勝
〔準会員賞〕（絵画）渡慶次真由、下地寛清（デザイン）相羽立矢、具志弘樹（書道）吉峯弘祐（陶芸）島袋常一（染色）玉那覇道子（織物）祝嶺恭子
〔沖展賞〕（絵画）比嘉武史（彫刻）当間末子（デザイン）平安座資尚（写真）高田誠（陶芸）島袋常秀（織物）大城カメ
〔奨励賞〕（絵画）玉城正明、高島彦志、佐久本伸光（彫刻）小橋川義信、長嶺よし（デザイン）大久保彰、崎浜秀昌（書道）渡口嘉三、登川正雄（織物）玉城カマド、高江洲政子（写真）上地安隆、末吉発、平井順光（漆芸）金城唯喜（陶芸）上江洲茂男、小橋川昇、仲本克、新垣勉

第26回（1974年）

３月30日から４月４日の６日間、那覇商業高校で開催。

〔陳列〕絵画110点、彫刻24点、デザイン44点、写真86点、書道71点、陶芸85点、染色24点、織物48点、漆芸22点、玩具４点の計521点を陳列。

会員・準会員推挙

〔会員〕（書道）玻名城泰雄（陶芸）島袋常一（染色）玉那覇道子

〔準会員〕（絵画）高島彦志（彫刻）友知雪江、津波古稔（陶芸）新垣勉

〔準会員賞〕（絵画）喜友名朝紀、比嘉武史（デザイン）大久保彰（書道）東江順子、玻名城泰雄（陶芸）島袋常一（織物）大城廣四郎

〔沖展賞〕（絵画）佐久原侯子（書道）渡口嘉三（写真）平井順光（陶芸）新垣勉（漆芸）嘉手納憑勇（染色）玉那覇有公（織物）友利玄純

〔奨励賞〕（絵画）赤嶺正則、高島彦志、中村貴司（彫刻）津波古稔、友知雪江（デザイン）金城正司、本庄正巳（書道）阿部田鶴子、新城弘志（写真）津野光良、野波正永、前原基男（陶芸）島袋常秀、照屋佳信（漆芸）知念宏清（織物）糸数幸子、城間勝美、桃原厚吉

第27回（1975年）

３月29日から４月３日までの６日間、神原中学校。

〔陳列〕絵画107点、彫刻28点、デザイン48点、写真73点、書道81点、陶芸86点、染色26点、織物44点、漆芸22点、ガラス５点、玩具（遺作）８点の計528点を陳列。

会員・準会員推挙

〔会員〕（絵画）比嘉武史、普天間敏、喜久村徳男、喜友名朝紀（デザイン）新垣正一（染色）藤村玲子

〔準会員〕（デザイン）照谷恒宣、高島彦志（書道）渡口嘉三（陶芸）島袋常秀、上江洲茂生、湧田弘（漆芸）伊波秀正（染色）玉那覇有公

〔準会員賞〕（絵画）普天間敏、比嘉武史（デザイン）新垣正一、大久保彰（陶芸）新垣勲（漆芸）古波鮫唯一（染色）藤村玲子

〔沖展賞〕（デザイン）高島彦志（書道）我喜屋秋正（陶芸）上江洲茂生（染色）玉那覇有公（織物）下地恵康

〔奨励賞〕（絵画）座覇政秀、砂川喜代（彫刻）屋嘉比柴起、島袋和代（デザイン）神山寛、本庄正巳、豊島亮一（書道）玻名城昭子、亀島義侑（写真）津野力男、稲福政昭、鳩間利洋、小橋川哲（陶芸）高江洲育男、新垣修（漆芸）伊波秀正、内間良子（織物）与那嶺貞、大城誠光

第28回（1976年）

３月30日から４月４日までの６日間、那覇高校。

〔陳列〕絵画104点、彫刻27点、デザイン46点、写真73点、書道77点、陶芸100点、染色22点、織物33点、漆芸24点の計506点を陳列。

会員・準会員推挙

〔会員〕（絵画）儀間朝健（デザイン）大久保彰（書道）東江順子、国吉芳子、吉峯弘祐（写真）有銘盛紀、備瀬和夫（漆芸）古波鮫唯一（織物）祝嶺恭子

〔準会員〕（絵画）上地弘（書道）新城弘志、登川正雄、我喜屋汝揖、宮城政夫（写真）津野力男、平良正一郎、平井順光、前原基男（陶芸）新垣修、高江洲育男、島袋常戸、高江洲康謹（漆芸）嘉手納憑勇、金城唯喜（織物）与那嶺貞、浦崎康賢、大城誠光

〔準会員賞〕（絵画）儀間朝健（彫刻）上原隆昭（デザイン）大久保彰（書道）東江順子（写真）有銘盛紀、備瀬和夫（陶芸）上江洲茂男（漆芸）古波鮫唯一、前田国男（織物）祝嶺恭子（染色）玉那覇有公

〔沖展賞〕（絵画）上地弘（書道）武田正子（陶芸）照屋佳信（織物）浦崎康賢

〔奨励賞〕（絵画）小橋川憲男、砂川喜代、赤嶺正則（彫刻）阿波根恵子、具志堅宏清、仲宗根清（デザイン）小浜晋、金城正司（書道）新城弘志、大城民子（写真）前原基男、平良正一郎、照屋忠（陶芸）新垣修（漆芸）嘉手納憑勇、金城唯喜（織物）饒平名玲子（染色）田名克子

第29回（1977年）

３月29日から４月３日までの６日間、首里高校。

〔陳列〕絵画111点、彫刻27点、デザイン53点、写真71点、書道81点、陶芸97点、染色17点、織物46点、漆芸24点の計527点。

会員・準会員の推挙

〔会員〕（絵画）大浜英治（書道）高良弘英（陶芸）新垣勲（染色）玉那覇有公

〔準会員〕（絵画）砂川喜代、佐久本伸光、座覇政秀（彫刻）仲宗根清、具志堅宏清（デザイン）金城正司（写真）上地安隆（書道）豊平信則（陶芸）照屋佳信（織物）玉城カマド

〔準会員賞〕（絵画）大浜英治（彫刻）長嶺よし（書道）新城弘志（写真）前原基男（陶芸）新垣勲（染色）玉那覇有公（織物）大城カメ

〔沖展賞〕（彫刻）仲宗根清（書道）豊平信則（写真）久高将和（陶芸）照屋佳信（織物）多和田淑子

〔奨励賞〕（絵画）砂川喜代、座覇政秀（彫刻）具志堅宏清（デザイン）金城正司、佐久本伸光（書道）砂川米市、盛島高行（写真）末吉はじめ、伊元源治、上地安隆（陶芸）小橋

川昇、国場健吉（漆芸）大見謝恒雄（染色）玉那覇清（織物）大城清栄、玉城カマド

第30回（1978年）

３月28日から４月２日までの６日間、首里高校。

〔陳列〕絵画109点、彫刻27点、デザイン42点、写真102点、書道93点、陶芸93点、漆芸23点、染色22点、織物42点の計553点。30周年を記念して各部の遺作品を展示したほかに、具志川市復帰記念会館（４月15日～19日）、名護市教育委員会ホール（４月22日～25日に）で選抜移動展をひらく。

会員・準会員の推挙

〔会員〕（彫刻）長嶺よし（写真）前原基男（漆芸）前田国男（織物）与那嶺貞

〔準会員〕（絵画）赤嶺正則（陶芸）小橋川昇

〔準会員賞〕（彫刻）長嶺よし、仲宗根清（書道）豊平信則（写真）前原基男（漆芸）金城唯喜、前田国男

〔沖展賞〕（絵画）赤嶺正則（デザイン）神山寛（書道）盛島高行（写真）真栄田久嗣（陶芸）島袋常善（漆芸）梅林素子（織物）真栄城喜久江

〔奨励賞〕（絵画）金城進、松田勇（彫刻）喜名盛勝、青木利実（デザイン）玉城徳正、小浜晋（書道）新川善一郎、砂川米市（写真）上江洲清徳、伊元源治（陶芸）小橋川昇、金城敏昭（漆芸）名嘉真理子（染色）西平幸子、知念貞男（織物）長嶺亨子、高江洲政子、多和田淑子

第31回（1979年）

３月28日から４月２日までの６日間、神原中学校。

〔陳列〕絵画104点、彫刻28点、デザイン52点、写真99点、書道103点、陶芸90点、漆芸32点、染色16点、織物50点の計575点。

会員・準会員の推挙

〔会員〕（書道）豊平信則（陶芸）上江洲茂生

〔準会員〕（絵画）金城進（彫刻）富元明雄（デザイン）本圧正巳、小浜晋（書道）盛島高行、阿部田鶴子（陶芸）島袋常善（織物）真栄城喜久江、多和田淑子

〔準会員賞〕（絵画）和宇慶朝健（彫刻）具志堅宏清（デザイン）高島彦志（書道）豊平信則（陶芸）上江洲茂生（漆芸）伊波秀正

〔沖展賞〕（絵画）吉山清晴（彫刻）富元明雄（デザイン）本圧正巳（書道）阿部田鶴子（写真）仲宗根哲男（陶芸）島袋常正（織物）真栄城喜久江

〔奨励賞〕（絵画）瑞慶山昇、金城進、比嘉良二（デザイン）新垣和男、小浜晋（書道）上間徳保、盛島高行（写真）上江洲清徳、石垣永精（陶芸）島袋秀栄、島袋常善（漆芸）大見謝恒雄、甲賀明子（織物）長嶺亨子、知花美恵子、多和田淑子

第32回（1980年）

３月28日から４月２日までの６日間、神原中学校。

〔陳列〕絵画91点、彫刻34点、デザイン42点、写真88点、書道102点、陶芸86点、漆芸39点、染色14点、織物45点の計541点。

会員・準会員の推挙

〔会員〕（絵画）上地弘（彫刻）上原隆昭（漆芸）伊波秀正、金城唯喜（織物）大城カメ、大城廣四郎、浦崎康賢

〔準会員〕（彫刻）当間末子（デザイン）玉城徳正（写真）上江洲清徳（陶芸）島袋常正

〔準会員賞〕（絵画）ウエチ・ヒロ（彫刻）上原隆昭（写真）平良正一郎（陶芸）新垣勉（漆芸）金城唯喜、伊波秀正、嘉手納憑勇（織物）大城廣四郎、大城カメ

〔沖展賞〕（彫刻）山城清典（書道）長嶺幸子（写真）上江洲清徳（陶芸）島常信

〔奨励賞〕（絵画）瑞慶山昇、当山進、屋良朝春（彫刻）当間末子、喜名盛勝、上江洲由郎（デザイン）小橋川共志、玉城徳正（書道）下地武夫、高良房子、仲本朝信（写真）玉城哲夫、浦崎博一（陶芸）島袋常正、与那覇朝一、新垣栄用（漆芸）佐伯芳子、宮里信正（染色）田名克子、平野晋二郎（織物）新垣幸子

第33回（1981年）

３月27日から４月１日までの６日間、神原中学校。

〔陳列〕絵画98点、彫刻32点、デザイン49点、写真87点、書道108点、陶芸81点、漆芸23点、染色20点、織物52点の計550点。

会員・準会員の推挙

〔会員〕（デザイン）宮城祥、金城正司（写真）平良正一郎（書道）上原彦一（漆芸）嘉手納憑勇

〔準会員〕（絵画）屋良朝春（彫刻）喜名盛勝（書道）波照間三蔵、砂川米市（陶芸）島袋秀栄（織物）新垣幸子

〔準会員賞〕（絵画）金城進（デザイン）宮城祥、金城正司（写真）平良正一郎（書道）上原彦一（陶芸）金城敏男（漆芸）嘉手納憑勇（織物）真栄城喜久江、多和田淑子

〔沖展賞〕（書道）波照間三蔵（陶芸）島袋秀栄（織物）宮平吟子

〔奨励賞〕（絵画）屋良朝春、比嘉良二、与久田健一（彫刻）新垣盛秀、喜名盛勝、知花均（デザイン）小橋川共志、崎浜秀昌、知念秀幸、宜保定和（書道）宮良善元、砂川米市、上間徳保（写真）石垣永精、佐久本政紀、玉城哲夫、崎山佳裕（陶芸）島袋文正、金城敏昭（漆芸）佐伯芳子（染色）平野晋二郎、伊差川洋子（織物）大城清栄、玉城博子、新垣幸子、

大城慧子

第34回（1982年）

３月27日から４月２日までの７日間、**神原中学校。**

〔**陳列**〕絵画109点、彫刻34点、デザイン49点、写真100点、書道109点、陶芸77点、漆芸35点、染色20点、織物52点の計585点。

会員・準会員の推挙

〔**会員**〕（デザイン）喜舎場正一（陶芸）金城敏男、新垣勉（織物）真栄城喜久江

〔**準会員**〕（絵画）比嘉良二（デザイン）崎浜秀昌、小橋川共志、知念秀幸（写真）玉城哲夫（陶芸）島常信（織物）大城清栄、ルバース・ミヤヒラ吟子

〔**準会員賞**〕（絵画）赤嶺正則（彫刻）富元明雄（デザイン）喜舎場正一、小浜晋（書道）大城よし子（陶芸）金城敏男、新垣勉（織物）真栄城喜久江

〔**沖展賞**〕（絵画）比嘉良二（デザイン）崎浜秀昌（書道）大城稔（漆芸）照屋和那

〔**奨励賞**〕（絵画）当山進、与久田健一、鎮西公子（彫刻）小橋川義信、伊元隆一、金城直美（デザイン）小橋川共志、知念秀幸（書道）名渡山登子、仲村信男（写真）玉城哲夫、宮平秀昭、金城盛弘（陶芸）相馬正和、高江洲康次、島常信（漆芸）上間秀雄（染色）平野晋二郎、金城ありさ（織物）湧川ヨネ子、大城清栄、大城一夫

第35回（1983年）

３月27日から４月３日までの８日間、**神原中学校。**

〔**陳列**〕絵画120点、彫刻38点、デザイン50点、写真105点、書道120点、陶芸73点、漆芸26点、染色20点、織物47点、ガラス９点の計608点。

会員・準会員の推挙

〔**会員**〕（絵画）和宇慶朝健（書道）大城よし子（織物）多和田淑子（彫刻）富元明雄

〔**準会員**〕（絵画）吉山清晴、与久田健一、鎮西公子、瑞慶山昇、当山進（書道）仲本朝信、我喜屋秋正（陶芸）新垣修（織物）長嶺亨子（彫刻）小橋川義信

〔**準会員賞**〕（絵画）和宇慶朝健（彫刻）富元明雄（デザイン）知念秀幸（写真）上江洲清徳（書道）大城よし子（陶芸）島袋常秀（織物）多和田淑子

〔**沖展賞**〕（絵画）鎮西公子（彫刻）小橋川義信（写真）西原忍（書道）仲本朝信（陶芸）新垣修（漆芸）上間秀雄（織物）真栄城興茂（ガラス）大城孝栄

〔**奨励賞**〕（絵画）与久田健一、浦崎彦志、吉山清晴（彫刻）新垣幸俊、當真勲（デザイン）下地恵都、銘苅清市（写真）崎山嗣光、佐久本政紀（書道）下地武夫、我喜屋明正、高良房子（陶芸）相馬正和、澤岻安一（漆芸）新城安傑、照屋和那（染色）伊差川洋子（織物）高嶺シゲ、長嶺亨子、湧川米子（ガラス）稲嶺盛吉

第36回（1984年）

３月26日から４月３日までの９日間、**那覇商業高校。**

〔**陳列**〕絵画111点、彫刻26点、デザイン55点、写真110点、書道122点、陶芸65点、漆芸19点、染色19点、織物52点、ガラス10点の計589点。

会員・準会員の推挙

〔**会員**〕（書道）登川正雄（陶芸）島袋常秀

〔**準会員**〕（絵画）浦崎彦志（デザイン）銘苅清市（書道）下地武夫（漆芸）照屋和那、上間秀雄（染色）伊差川洋子

〔**準会員賞**〕（絵画）与久田健一（彫刻）津波古稔（デザイン）崎浜秀昌（写真）津野力男、玉城哲夫（陶芸）島袋常秀（織物）ルバース・ミヤヒラ吟子、新垣幸子（書道）登川正雄

〔**沖展賞**〕（絵画）奥原崇典（デザイン）銘苅清市（漆芸）津嘉山栄造（染色）伊差川洋子（書道）下地武夫

〔**奨励賞**〕（絵画）山内盛博、浦崎彦志、新城剛（彫刻）上江洲由郎、當真勲（デザイン）与那嶺勉、当山善英（写真）金城盛弘、宮城保武（陶芸）高江洲盛良、島袋文正（ガラス）稲嶺盛吉（漆芸）上間秀雄（織物）真栄城興茂、砂川美恵子、渡久山千代（染色）堀内あき、玉那覇清、宮城里子（書道）大城武雄、玉代勢忠雄、福原兼永、仲村信男

第37回（1985年）

３月24日から４月３日までの11日間、**那覇商業高校。**

〔**陳列**〕絵画106点、彫刻34点、デザイン46点、写真112点、書道125点、陶芸74点、漆芸29点、染色18点、織物50点、ガラス７点の計600点。

会員・準会員の推挙

〔**会員**〕（絵画）与久田健一、屋良朝春（彫刻）具志堅宏清（デザイン）小浜晋（織物）新垣幸子

〔**準会員**〕（絵画）奥原崇典、新城剛（織物）真栄城興茂（染色）安藤順子（ガラス）稲嶺盛吉（書道）仲村信男

〔**準会員賞**〕（絵画）当山進、屋良朝春、与久田健一、鎮西公子、比嘉良二（彫刻）具志堅宏清、喜名盛勝（デザイン）小浜晋、本庄正巳、仲元清輝（書道）下地武夫、我喜屋明正（陶芸）島袋秀栄（織物）新垣幸子、玉城カマド

〔**沖展賞**〕（絵画）新城剛（写真）屋部高志（書道）和宇慶信八（陶芸）比嘉勇彦（織物）豊見山カツ子（ガラス）稲嶺盛吉

〔**奨励賞**〕（絵画）奥原崇典、前原盛文、山内盛博（彫刻）新垣幸俊、高嶺善昇、古謝真由美（デザイン）当山善英、与那覇勉（写真）古堅宗助、呉屋良延、普天間直弘（書道）茅原善元、福原兼永、仲村信男、比嘉良勝、玉村弥介（陶芸）涌井充雄、高江洲盛良、山内米一（漆芸）当間文子、新城安傑（織物）西村源護、真栄城興茂（染色）宮城里子、安藤順子

第38回（1986年）

３月29日から４月４日までの７日間、**那覇商業高等学校。**

〔陳列〕絵画115点、彫刻44点、デザイン51点、写真106点、書道163点、陶芸73点、漆芸16点、染色21点、織物44点、ガラス12点、合計660点。
会員・準会員の推挙
〔会員〕（絵画）鎮西公子、下地明増（彫刻）喜名盛勝（デザイン）本庄正巳、銘苅清市、仲元清輝、知念秀幸（書道）我喜屋明正（織物）玉城カマド
〔準会員〕（絵画）山内盛博（彫刻）新垣幸俊（書道）茅原善元、大城稔（漆芸）新城安傑
〔準会員賞〕（絵画）鎮西公子、下地明増（彫刻）喜名盛勝、友知雪江（デザイン）玉城徳正、銘苅清市、知念秀幸、本庄正巳（陶芸）島袋常善（織物）真栄城興茂、玉城カマド（書道）仲村信男、我喜屋明正、阿部田鶴子
〔沖展賞〕（絵画）照屋万里（デザイン）城間肇（写真）上地キミ子（ガラス）平良恒雄（書道）茅原善元
〔奨励賞〕（絵画）大城勝子、島袋喜代子、中島イソ子、山内盛博（彫刻）崎枝静子、新垣幸俊、上江洲由郎（デザイン）大城康伸、亀川康栄、玉栄昭彦（写真）石垣佳彦、末吉行勇、大浜博吉（陶芸）山内米一、大林達雄、国場一（漆芸）前田比呂也、新城安傑（ガラス）仲吉幸喜、泉川寛勇（染色）宮城里子、国場節子（織物）大城一夫、中原志津子（書道）宮里朝尊、岸本定昇、砂川栄、大城稔、安里牧子

第39回（1987年）

３月29日から４月４日まで７日間、那覇商業高校。
今回から版画部門が絵画から独立し、一層の充実を図った。一般からの応募作品1,001点の中から入賞作品36点、入選432点、会員、準会員、賛助会員の作品を含めて総数726点展示した。
〔陳列〕絵画109点、版画24点、彫刻38点、デザイン54点、写真119点、陶芸93点、漆芸26点、ガラス19点、染色17点、織物40点、書道187点。合計726点
会員・準会員の推挙
〔会員〕（彫刻）津波古稔（書道）仲村信男、阿部田鶴子（陶芸）島袋秀栄（織物）ルバース・ミヤヒラ吟子
〔準会員〕（絵画）照屋万里、金城満（彫刻）當間勲（デザイン）亀川康栄、城間肇（書道）大城武雄（陶芸）高江洲盛良（染色）宮城里子
〔準会員賞〕（絵画）浦崎彦志（彫刻）津波古稔（版画）瑞慶山昇（陶芸）島袋秀栄（漆芸）新城安傑（織物）ルバース・ミヤヒラ吟子（書道）大城稔、仲村信男、盛島高行、阿部田鶴子
〔沖展賞〕（絵画）金城満（版画）山城茂徳（写真）大城信吉（染色）宮城里子（織物）中原志津子（書道）比嘉千鶴子
〔奨励賞〕（絵画）宮城鶴子、照屋万里、北村英子、金城準子（彫刻）當間勲、かみぢまさ、上江洲由郎、崎枝静子（版画）大城勝（デザイン）亀川康栄（ポスター・パッケージ）城間肇（写真）普天間直弘、花城卓起、新田健夫（陶芸）西平守正、高江洲盛良、島袋常栄（漆芸）伊集守輝、松田勲（ガラス）大城孝栄、平良恒雄（染色）仲吉悦子（織物）高嶺成、新里玲子（書道）大城武雄、泉朝信、漢那朝康、本村晴美、渡名喜清

第40回（1988年）

３月27日から４月17日まで22日間、浦添市民体育館。
沖縄文化のルネッサンスを象徴する「沖展」は40周年を迎え、浦添市、浦添市教育委員会の協力を得て、装いも新たに会場を浦添市民体育館へ移し、22日間にわたる長期間開催した。
〔陳列〕絵画132点、版画22点、彫刻34点、デザイン51点、書道255点、写真138点、陶芸85点、漆芸21点、染色18点、織物40点、ガラス25点。合計821点
会員・準会員の推挙
〔会員〕（絵画）浦崎彦志（彫刻）友知雪江（デザイン）照谷恒宣（写真）津野力男、上江洲清徳（書道）新城弘志（陶芸）島袋常善
〔準会員〕（絵画）中島イソ子（彫刻）崎枝静子（デザイン）大城康伸、与那覇勉（陶芸）高江洲康次（織物）大城一夫（ガラス）大城孝栄
〔準会員賞〕（絵画）新城剛、浦崎彦志（写真）津野力男、上江洲清徳（デザイン）城間肇、照谷恒宣（漆芸）上間秀雄（陶芸）島袋常善（彫刻）友知雪江（書道）新城弘志
〔沖展賞〕（絵画）中島イソ子（デザイン）大城康伸（ガラス）大城孝栄（陶芸）高江洲康次（書道）小杉紘子
〔奨励賞〕（絵画）宮里昌健、山田武、伊良部恵勝、宮里顕（写真）崎山洋子、坂井和夫（デザイン）与那覇勉、山田英夫（染色）具志七美、知念貞男（織物）比嘉恵美子、大城一夫、糸数江美子（漆芸）宇良英明、松田勲（ガラス）末吉清一（陶芸）澤岻安一、金城敏幸（彫刻）松堂徳正、崎枝静子、高嶺善昇（版画）比嘉良徳、知念秀幸（書道）豊平美栄子、比嘉良勝、砂川栄、安里牧子、渡名喜清、吉里恒貞

第41回（1989年）

４月２日(日)～４月23日(日)まで22日間、浦添市民体育館で浦添市、浦添市教育委員会の協力で開催。
〔陳列〕絵画130点、版画25点、彫刻44点、デザイン42点、書道255点、写真143点、陶芸75点、漆芸11点、染色28点、織物40点、ガラス40点。合計814点
会員・準会員の推挙
〔会員〕（絵画）新城剛（書道）下地武夫（織物）真栄城興茂（ガラス）稲嶺盛吉
〔準会員〕（写真）普天間直弘、大城信吉（版画）知念秀幸、比嘉良徳（漆芸）松田勲（ガラス）平良恒雄、泉川寛勇（陶芸）山内米一（書道）渡名喜清
〔準会員賞〕（絵画）新城剛（織物）真栄城興茂（ガラス）稲嶺盛吉、大城孝栄（陶芸）新垣修（書道）下地武夫
〔沖展賞〕（絵画）前田比呂也（写真）大城信吉（デザイン）友寄景浩（ガラス）泉川寛勇（陶芸）大宮育雄（書道）赤嶺靖彦

〔奨励賞〕（絵画）上原勲、宮里昌健、仲松清隆（写真）堀川恭順、普天間直弘（版画）下地敏一、知念秀幸、比嘉良徳（デザイン）山田英夫、城間清酉（染色）当間光子、渡名喜はるみ（織物）伊藤峯子、糸数江美子、比嘉マサ子（漆芸）松田勲（ガラス）平良恒雄、松堂正喜（陶芸）高橋幸治、山内米一（彫刻）知念良智、渡慶次哲（書道）漢那治子、渡名喜清、泉朝信、本村晴美、浜口清子、天久武和

第42回（1990年）

３月25日(日)～４月８日(日)まで15日間、浦添市民体育館で浦添市、浦添市教育委員会の協力で開催。

〔陳列〕絵画114点、版画27点、彫刻46点、デザイン47点、書道226点、写真130点、陶芸78点、漆芸24点、染色18点、織物35点、ガラス39点。合計788点

会員・準会員の推挙

〔会員〕（版画）瑞慶山昇（書道）大城稔（漆芸）上間秀雄、新城安傑

〔準会員〕（絵画）宮里顕（彫刻）高嶺善昇（書道）泉朝信、高良房子

〔準会員賞〕（絵画）照屋万里、奥原崇典（版画）瑞慶山昇（書道）大城稔（陶芸）島常信（漆芸）上間秀雄、新城安傑

〔沖展賞〕（絵画）宮里顕（彫刻）知念良智（デザイン）城間清酉（写真）牧直實（書道）名嘉喜美（陶芸）宮城智（漆芸）赤嶺貴子（ガラス）当真進

〔奨励賞〕（絵画）瑞慶山昇、新垣正一、大城良明（版画）長浜克英、知念守（彫刻）高嶺善昇、上原博紀、仲里安広（デザイン）大城道秀、知念仁志、志喜屋徹（写真）小谷武彦、上地キミ子、坂井和夫（書道）東恩納安弘、泉朝信、豊平美榮子、高良房子（陶芸）石倉文夫、大林達雄（漆芸）宇良英明、当間文子（染色）渡名喜はるみ、当間光子（織物）嘉手苅カメ子（ガラス）仲吉幸喜、上原徳三

第43回（1991年）

３月24日(日)～４月７日(日)まで15日間、浦添市民体育館で浦添市、浦添市教育委員会の協力で開催。

〔陳列〕絵画124点、版画30点、彫刻45点、デザイン49点、書道249点、写真123点、陶芸83点、漆芸20点、染色26点、織物31点、ガラス41点。合計821点

会員・準会員の推挙

〔会員〕（絵画）赤嶺正則

〔準会員〕（写真）末吉はじめ（書道）吉里恒貞、安里牧子（漆芸）当間文子（織物）仲原志津子

〔準会員賞〕（絵画）赤嶺正則、佐久本伸光、高島彦志（版画）比嘉良徳（織物）大城一夫（染色）宮城里子（漆芸）松田勲（ガラス）平良恒雄（陶芸）山内米一（書道）大城武雄

〔沖展賞〕（絵画）上地雅子（写真）末吉はじめ（織物）中原志津子（漆芸）後間義雄（ガラス）屋我平尋（陶芸）ポール・ロリマー（書道）吉里恒貞

〔奨励賞〕（絵画）金城和男、仲松清隆、瑞慶山昇（写真）崎山嗣光、知花照子、中山良哲（版画）玉城徳正、新崎竜哉（デザイン）宜保定和、大城道秀（織物）津波古信江、大城幸雄（染色）当間光子、金城盛弘、国場節子、知念貞男（漆芸）当間文子、富里愛子（ガラス）末吉清一、松田豊彦、具志堅正（陶芸）新垣光雄、宮城秀雄（彫刻）上原博紀、仲本真由美（書道）安里牧子、平良勝男、上地徹、浜口清子、西澤恒子、東恩納安弘

第44回（1992年）

３月22日(日)～４月５日(日)まで15日間、浦添市民体育館で浦添市、浦添市教育委員会の協力で開催。

〔陳列〕絵画121点、版画23点、彫刻40点、デザイン58点、書道256点、写真113点、陶芸74点、漆芸32点、染色24点、織物33点、ガラス39点。合計813点

会員・準会員の推挙

〔会員〕（デザイン）崎浜秀昌（ガラス）泉川寛勇、平良恒雄

〔準会員〕（絵画）仲松清隆、瑞慶山昇、宮里昌健（版画）知念守（彫刻）仲本真由美、上原博紀（写真）上地キミ子、坂井和夫（陶芸）大宮育雄（染色）知念貞男（ガラス）当真進

〔準会員賞〕（写真）末吉はじめ（デザイン）崎浜秀昌（織物）長嶺亨子（染色）伊差川洋子（ガラス）泉川寛勇、平良恒雄（陶芸）湧田弘（書道）安里牧子

〔沖展賞〕（絵画）仲松清隆（写真）西山雅浩（版画）長浜美佐子（染色）知念貞男（漆芸）糸数政次（ガラス）当真進（書道）漢那治子

〔奨励賞〕（絵画）瑞慶山昇、大城譲、宮里昌健、佐久間盛義（写真）上地キミ子、坂井和夫、中山良哲（版画）新崎竜哉、知念守（デザイン）木村ロメオ（織物）桃原美枝、波照間けさ子、津波古信江（染色）佐藤真佐子、金城盛弘（漆芸）古村茂（ガラス）屋我平尋、上原徳三、佐久間正二（陶芸）大宮育雄、伊禮邦夫、知花真紹（彫刻）上原博紀、仲本真由美、仲里安広、高江洲義寛（書道）幸喜石子、玉木恒子、比嘉良勝、宮平俊則、上原幸子、與久田妙子

第45回（1993年）

３月21日(日)～４月４日(日)まで15日間、浦添市民体育館で浦添市、浦添市教育委員会の協力で開催。

〔陳列〕絵画136点、版画22点、彫刻33点、デザイン45点、書道248点、写真123点、陶芸70点、漆芸20点、染色23点、織物30点、ガラス46点。合計796点

会員・準会員の推挙

〔会員〕（絵画）当山進（版画）比嘉良徳（書道）盛島高行（陶芸）湧田弘（染色）伊差川洋子（織物）大城一夫

〔準会員〕（絵画）大城譲、山田武（版画）新崎竜哉（書道）上地徹、名嘉喜美、小杉紘子（写真）崎山洋子、西山雅浩（漆芸）糸数正次（織物）糸数江美子（ガラス）屋我平尋

〔準会員賞〕（絵画）当山進、瑞慶山昇（写真）大城信吉

(版画) 比嘉良徳 (織物) 大城一夫 (染色) 知念貞男、伊差川洋子 (漆芸) 当間文子 (陶芸) 湧田弘 (書道) 盛島高行
〔沖展賞〕(絵画) 池宮城友子 (写真) 崎山洋子 (漆芸) 糸数政次 (ガラス) 屋我平尋 (書道) 上地徹
〔奨励賞〕(絵画) 奥本静江、大城讓、新城弘市郎、山田武 (写真) 西山雅浩、内間寛、仲宗根直 (版画) 新崎竜哉、仲本和子 (デザイン) 志喜屋徹、木村ロメオ (織物) 糸数江美子、桃原美枝 (漆芸) 宮里愛子、富永正子 (ガラス) 大城清善、池宮城善郎 (陶芸) 羽田光範、伊禮邦夫 (彫刻) 宮里努 (書道) 玉木恒子、名嘉喜美、知念正、天久武和、小杉紘子、新城育子

第46回 (1994年)

３月20日(日)～４月３日(日)まで15日間、浦添市民体育館で開催。
〔陳列〕絵画141点、版画24点、彫刻28点、デザイン53点、書道238点、写真131点、陶芸72点、漆芸15点、染色23点、織物30点、ガラス28点。合計783点
会員・準会員の推挙
〔会員〕(絵画) 奥原崇典 (デザイン) 亀川康栄 (写真) 大城信吉 (陶芸) 島常信 (漆芸) 松田勲 (染色) 宮城里子
〔準会員〕(書道) 天久武和 (写真) 内間寛、牧直實 (漆芸) 後間義雄 (織物) 富里愛子、津波古信江 (ガラス) 末吉清一
〔準会員賞〕(絵画) 奥原崇典 (写真) 上地安隆、大城信吉 (版画) 知念守、新崎竜哉 (デザイン) 亀川康栄 (染色) 宮城里子 (漆芸) 松田勲 (陶芸) 島常信 (書道) 名嘉喜美、茅原善元
〔沖展賞〕(絵画) 平野智子 (写真) 内間寛 (漆芸) 後間義雄 (ガラス) 池宮城善郎 (陶芸) 新垣初子 (書道) 玉城恵美子
〔奨励賞〕(絵画) 知名久夫、平川宗信、喜屋武千恵 (写真) 松門重雄、金城幸彦、牧直實 (版画) 友利一直 (デザイン) 比嘉康幸、宮城真吾 (織物) 大城慧子、津波古信江 (染色) 上原順子、新垣鈴花 (漆芸) 真栄田静子、富里愛子 (ガラス) 末吉清一、大城清善 (陶芸) 大城繁、親川正治 (彫刻) 仲里安広 (書道) 与儀政子、新垣洋子、與久田妙子、中村裕美、天久武和

第47回 (1995年)

３月19日(日)～４月２日(日)まで15日間、浦添市民体育館で開催。
〔陳列〕絵画157点、版画24点、彫刻24点、デザイン54点、書道246点、写真122点、陶芸76点、漆芸20点、染色22点、織物30点、ガラス22点。合計919点
会員・準会員の推挙
〔会員〕(書道) 大城武雄 (陶芸) 新垣修 (染色) 知念貞男
〔準会員〕(絵画) 具志恒勇 (デザイン) 木村ロメオ (書道) 東恩納安弘、玉城恵美子、浜口清子 (写真) 佐久本政紀 (陶芸) 伊禮邦夫
〔準会員賞〕(絵画) 大城讓 (陶芸) 新垣修 (写真) 崎山洋子、牧直實 (染色) 知念貞男 (織物) 糸数江美子 (書道) 大城武雄
〔沖展賞〕(絵画) 知念秀幸 (版画) 赤嶺雅 (陶芸) 伊禮邦夫 (写真) 佐久本政紀 (織物) 仲村泰子 (書道) 東恩納安弘
〔奨励賞〕(絵画) 平川宗信、具志恒勇 (版画) 宮城あすか (デザイン) 木村ロメオ、名嘉一、平良均 (彫刻) 志喜屋徹 (陶芸) 崎原盛和、金城定昭 (写真) 呉屋良延、知花照子、仲宗根直 (染色) 具志七美、志堅原英子 (漆芸) 真栄田静子、大城光子、城間ハツ (ガラス) 山城正、比嘉吉春 (織物) 運天裕子 (書道) 新垣敏子、上原幸子、玉城恵美子、運天雅代、浜口清子

第48回 (1996年)

３月24日(日)～４月７日(日)まで15日間、浦添市民体育館で開催。
〔陳列〕
絵画156点、版画21点、彫刻34点、デザイン49点、書道236点、写真144点、陶芸68点、漆芸17点、染色27点、織物30点、ガラス22点。合計803点
会員・準会員の推挙
〔会員〕(絵画) 照屋万里 (版画) 知念守 (書道) 名嘉喜美
〔準会員〕(絵画) 知念秀幸 (版画) 赤嶺雅 (書道) 比嘉千鶴子 (写真) 金城幸彦、中山良哲 (陶芸) 島袋常栄、新垣栄用 (漆芸) 真栄田静子
〔準会員賞〕(絵画) 砂川喜代、照屋万里 (写真) 上地キミ子 (版画) 知念守 (ガラス) 末吉清一 (書道) 名嘉喜美
〔沖展賞〕(絵画) 仲里安広 (写真) 金城幸彦 (デザイン) 宮國貴子 (陶芸) 島袋常栄 (彫刻) 氏村・佐久田カルロス・マルチン (書道) 與久田妙子
〔奨励賞〕(絵画) 知念秀幸、稲嶺盛一郎、大底康宏 (写真) 平良正巳、伊芸元一、中山良哲 (版画) 城間和枝、赤嶺雅、宮城あすか (デザイン) 大野陽子、川上豪、平良均 (織物) 伊藤峯子、大濱敏江 (染色) 前田栄、志堅原英子 (漆芸) 大城光子、真栄田静子 (ガラス) 親富祖勉、漢那憲作 (陶芸) 新垣栄用 (彫刻) 新垣盛秀、山城史輝、稲嶺織恵 (書道) 岸本定昇、佐野裕司、比嘉千鶴子、前田賢二、登川妙子

第49回 (1997年)

３月23日(日)～４月６日(日)まで15日間、浦添市民体育館で開催。
〔陳列〕絵画152点、版画20点、彫刻29点、デザイン56点、書道233点、写真144点、陶芸69点、漆芸18点、染色27点、織物24点、ガラス25点。合計797点
会員、準会員の推挙
〔会員〕(版画) 赤嶺雅 (書道) 茅原善元 (織物) 長嶺亨子 (ガラス) 末吉清一
〔準会員〕(絵画) 仲里安広 (版画) 宮城あすか (デザイン) 山田英夫、平良均 (陶芸) 新垣初子、大林達雄 (織物) 伊藤

峯子
〔準会員賞〕（絵画）知念秀幸（版画）赤嶺雅（彫刻）當眞勲（書道）浜口清子、比嘉良勝（陶芸）小橋川昇（漆芸）糸数政次（織物）長嶺亨子（ガラス）末吉清一
〔沖展賞〕（絵画）照屋愛（版画）宮城あすか（デザイン）田場晋一郎（書道）山城篤男（写真）平良正己
〔奨励賞〕（絵画）我謝弘行、金城幸也、比嘉利寛、吉田峰子、小録了、仲里安広（版画）友利直（デザイン）山田英夫、平良均（彫刻）宮里秀和、真座孝治（書道）山城朝計、前田賢二、香村ナホ、知念正（写真）新城定盛、照屋孚賢、金城利夫（陶芸）大林達雄、新垣初子、金城定昭（漆芸）大城加代子、赤嶺貴子（染色）津田かすみ、渡名喜はるみ、前田栄（織物）大城哲、伊藤峯子（ガラス）稲嶺盛一郎、大城啓一

第50回（1998年）

３月22日（日）～４月５日（日）まで15日間、浦添市民体育館で開催。
〔陳列〕絵画142点、版画22点、彫刻38点、デザイン64点、書道274点、写真146点、陶芸72点、漆芸18点、染色32点、織物29点、ガラス29点。合計866点
会員、準会員の推挙
〔会員〕（絵画）比嘉良二、具志堅誓謹、佐久本伸光、砂川喜代（書道）安里牧子、浜口清子
〔準会員〕（絵画）金城幸也、平川宗信（彫刻）知念良智（書道）知念正、砂川榮、山城篤男、上原幸子、宮平俊則、福原兼永（写真）平良正己（漆芸）大城光子、赤嶺貴子（染色）渡名喜はるみ（織物）大城慧子
〔準会員賞〕（絵画）具志恒勇、宮里顕、比嘉良二（デザイン）山田英夫（書道）安里牧子、浜口清子、泉朝信（写真）普天間直弘（陶芸）高江洲康次
〔沖展賞〕（絵画）金城幸也（彫刻）親川松清（書道）知念正（写真）親泊秀尚（陶芸）佐久間栄（漆芸）大城光子（染色）外間修（織物）和宇慶むつみ
〔奨励賞〕（絵画）平川宗信、与那嶺芳恵、比嘉利寛、三木元子、山城政子、奥本静江、岸本ノブヨ、大底康宏、赤嶺広和、永島正（版画）金城恵子、山城智代、前田栄（デザイン）内間安博、長嶺忠雄、前田勇憲（彫刻）崎浜秀政、山城史輝、むらたりえこ、知念良智（書道）眞喜屋美佐、小橋川学、島尚美、砂川榮、玻名城泰久、山城美智子、山城篤男、我部幸枝、大盛敬徳、上原幸子、新城長助（写真）平良正己、金城棟永、諸見里光子、神山幸子（陶芸）津波古浩、比嘉康雄（漆芸）赤嶺貴子（染色）島袋あゆみ、渡名喜はるみ、請盛貴子、崎浜裕子（織物）運天裕子、大城慧子（ガラス）稲嶺盛一郎、谷井美鈴、大城尚也、大城清善

第51回（1999年）

３月21日（日）～４月４日（日）まで15日間、浦添市民体育館で開催。
〔陳列〕絵画140点、版画21点、彫刻33点、デザイン52点、書道267点、写真135点、陶芸63点、漆芸20点、染色31点、織物24点、ガラス40点。合計826点
会員、準会員の推挙
〔会員〕（絵画）宮里顯（書道）泉朝信、比嘉良勝（写真）上地キミ子、崎山洋子
〔準会員〕（版画）長浜美佐子（彫刻）親川松清、山城史輝（書道）岸本定昇、平良勝男（写真）金城棟永、石垣永精（陶芸）金城定昭（ガラス）稲嶺盛一郎
〔準会員賞〕（絵画）宮里顯、金城幸也（版画）宮城あすか（彫刻）上原博紀（デザイン）木村ロメオ（書道）比嘉良勝、小杉紘子、泉朝信（写真）崎山洋子（陶芸）大林達雄（漆芸）後間義雄
〔沖展賞〕（絵画）佐久本米子（彫刻）親川松清（書道）我喜屋文子（写真）金城棟永
〔奨励賞〕（絵画）宮村浩美、仲宗根勇吉、山城政子、我如古洋子、岸本ノブヨ（版画）長浜美佐子（彫刻）新垣盛秀、山城史輝、與儀清孝（デザイン）仲本京子、知念仁志、諸見宣孝（書道）香村ナホ、比嘉安子、永田圭二、運天雅代、神山律子、山城美智子（写真）山城啓、石垣永精、翁長達夫（陶芸）金城定昭、佐渡山正光（漆芸）諸見由則、照喜名朝夫（染色）前田直美、外間修、請盛貴子、崎浜裕子（織物）和宇慶むつみ（ガラス）稲嶺盛一郎、新崎盛史、大城尚也

第52回（2000年）

3月19日（日）～４月２日（日）までの15日間、浦添市民体育館で開催。
〔陳列〕絵画141点、版画20点、彫刻32点、デザイン50点、書道367点、写真123点、陶芸67点、漆芸23点、染色27点、織物24点、ガラス26点。合計900点
会員、準会員の推挙
〔会員〕（絵画）高島彦志（書道）仲本朝信
〔準会員〕（絵画）与那嶺芳恵、奥本静江（デザイン）知念仁志（書道）前田賢二、本村晴美、山城美智子（陶芸）親川正治（染色）外間修（ガラス）池宮城善郎
〔準会員賞〕（絵画）高島彦志（版画）長浜美佐子（彫刻）親川松清、知念良智（書道）山城篤男、渡名喜清、仲本朝信（写真）内間實、金城幸彦（陶芸）島袋常栄（漆芸）赤嶺貴子（ガラス）屋我平尋
〔沖展賞〕（絵画）与那嶺芳恵（彫刻）與儀清孝（デザイン）知念仁志（書道）前田賢二（陶芸）親川正治（漆芸）宮城荘一郎（ガラス）池宮城善郎
〔奨励賞〕（絵画）前田誠、奥本静江、高野生優、山川さやか、新城弘市郎（彫刻）大城朝利、城間勇（デザイン）諸見宣孝、仲本京子（書道）眞喜屋美佐、新里智子、比嘉安子、本村晴美、山城美智子、長浜和子、神山律子、我喜屋ヤス子（写真）渡久地政修、譜久原朝慎、伊波ムツ子（陶芸）小橋川弘、金城敏幸（漆芸）諸見由則、伊佐郁子（染色）仲松格、外間修、請盛貴子、仲吉委子（織物）宮良せい子（ガラス）青木茂夫、上地広明

第53回（2001年）

３月18日(日)～４月１日(日)まで15日間、浦添市民体育館で開催。浦添市長賞を７部門に出す。

〔陳列〕絵画167点、版画25点、彫刻31点、デザイン40点、書道398点、写真128点、陶芸68点、漆芸23点、染色26点、織物28点、ガラス39点。合計973点

会員、準会員の推挙

〔会員〕(絵画) 金城幸也 (版画) 長浜美佐子 (彫刻) 知念良智 (書道) 高良房子、宮平俊則 (写真) 末吉はじめ (陶芸) 島袋常栄

〔準会員〕(絵画) 山城政子、佐久本米子 (彫刻) 與儀清孝 (デザイン) 諸見宣孝、仲本京子 (書道) 眞喜屋美佐、比嘉安子、神山律子、我喜屋ヤス子 (織物) 和宇慶むつみ

〔準会員賞〕(絵画) 金城幸也、与那嶺芳恵 (版画) 長浜美佐子 (彫刻) 知念良智 (書道) 高良房子、砂川榮、上地徹、宮平俊則 (写真) 末吉はじめ、中山良哲 (陶芸) 島袋常栄 (染色) 外間修 (ガラス) 池宮城善郎

〔沖展賞〕(絵画) 安富幸子 (デザイン) 知名定利祉 (書道) 村山典子 (写真) 島元智 (染色) 大濵史枝

〔奨励賞〕(絵画) 伊川治美、小橋川清一、山城政子、佐久本米子、上原はま子 (版画) 安仁屋政汎、辻優子 (彫刻) 與儀清孝、大城朝利、浜川和男 (デザイン) 諸見宣孝、仲本京子 (書道) 田名洋子、幸喜石子、眞喜屋美佐、比嘉安子、長浜和子、神山律子、城間律子、我喜屋ヤス子、西蔵盛英雄、金城多美子 (写真) 大城隆、渡嘉敷久美 (陶芸) 新垣栄一、大城千秋、新垣安隆 (漆芸) 當真茂、宮城清 (染色) 城間弘子、金城マリエ (織物) 大仲毬子、和宇慶むつみ、仲宗根みちこ (ガラス) 漢那憲作、上地広明、大城尚也

〔浦添市長賞〕(絵画部門) 金城幸也 (版画部門) 友利直 (彫刻部門) 上原博紀 (デザイン部門) 津波古陽子 (書道部門) 岸本定昇 (写真部門) 島元智 (工芸部門) 大濵史枝

第54回（2002年）

３月17日(日)～３月31日(日)まで15日間、浦添市民体育館で開催。浦添市長賞を７部門11ジャンルに出す。

〔陳列〕 絵画138点、版画26点、彫刻28点、デザイン53点、書道396点、写真126点、陶芸73点、漆芸18点、染色22点、織物26点、ガラス38点。合計944点

会員、準会員の推挙

〔会員〕(絵画) 中島イソ子、与那嶺芳恵 (書道) 小杉紘子、砂川榮 (写真) 牧直實 (陶芸) 小橋川昇 (漆芸) 後間義雄 (織物) 糸数江美子

〔準会員〕(絵画) 新垣正一 (書道) 幸喜石子 (織物) 新里玲子

〔準会員賞〕(絵画) 中島イソ子、与那嶺芳恵 (彫刻) 與儀清孝 (デザイン) 諸見宣孝 (写真) 牧直實 (書道) 小杉紘子、眞喜屋美佐、砂川榮、知念正 (陶芸) 小橋川昇 (織物) 糸数江美子 (漆芸) 後間義雄 (ガラス) 稲嶺盛一郎

〔沖展賞〕(絵画) 赤嶺広和 (デザイン) 漢那豊 (書道) 幸喜石子

〔奨励賞〕(絵画) 山川さやか、高野生優、新垣正一、大塚水央、安富幸子 (版画) 中村万季子、彭立波 (彫刻) 濱元朝和 (デザイン) 大森洋介、仲宗根みさと (写真) 大迫啓子、翁長達夫 (書道) 永田圭二、金城多美子、中村裕美、大山美代子、与儀政子、西蔵盛英雄、西澤恒子、兼次律子、玉城君子、吉田優子 (陶芸) 新垣健司、薗田稔 (染色) 外間裕子、津田かすみ (織物) 新垣隆、新里玲子、大仲毬子 (漆芸) 國吉亮子 (ガラス) 青木茂夫、新崎盛史、東新川拓也

〔浦添市長賞〕(絵画) 有泉京子 (版画) 前田隆子 (彫刻) 大城朝利 (デザイン) 坂あゆみ (写真) 金城道男 (書道) 与那嶺典子 (陶芸) 玉城望 (漆芸) 當眞茂 (染色) 仲吉委子 (織物) 仲宗根みちこ (ガラス) 大城英世

第55回（2003年）

３月16日(日)～３月30日(日)まで15日間、浦添市民体育館で開催。浦添市長賞を７部門11ジャンルに出す。

〔陳列〕絵画158点、版画30点、彫刻24点、デザイン53点、書道393点、写真120点、陶芸72点、漆芸21点、染色18点、織物28点、ガラス37点。合計954点

会員、準会員の推挙

〔会員〕(絵画) 具志恒勇、大城譲 (版画) 宮城あすか (書道) 眞喜屋美佐、知念正 (ガラス) 池宮城善郎

〔準会員〕(絵画) 安富幸子、赤嶺広和 (版画) 前田栄 (書道) 田名洋子、金城多美子、中村裕美、運天雅代、西蔵盛英雄 (写真) 屋部高志 (染色) 仲吉委子、大濵史枝、外間裕子

〔準会員賞〕(絵画) 奥本静江、具志恒勇、大城譲 (版画) 宮城あすか (書道) 比嘉千鶴子、眞喜屋美佐、砂川米市、知念正 (写真) 佐久本政紀 (織物) 和宇慶むつみ (ガラス) 池宮城善郎、当真進

〔沖展賞〕(絵画) 安富幸子 (版画) 前田栄 (書道) 田名洋子 (染色) 仲吉委子

〔奨励賞〕(絵画) 知念盛一、波平栄宏、當間よしの、仲宗根勇吉、高江洲陽子 (版画) 大野経典 (彫刻) 濱元朝和 (デザイン) 幸喜訓、当真千博、折田鮎美 (書道) 宮里朝尊、金城多美子、中村裕美、運天美代子、運天雅代、西蔵盛英雄、松堂康子、兼次律子、比嘉さつき、新里智子 (写真) 幸喜訓、喜名朝駿、屋部高志 (陶芸) 比嘉拓美、吉村明、仲間功 (漆芸) 照喜名朝夫、仲北聡子 (染色) 大濵史枝、仲松格、城間栄市 (織物) 深石美穂 (ガラス) 小野田郁子

〔浦添市長賞〕(絵画) 友利榮吉 (版画) 安仁屋政汎 (彫刻) 大城朝利 (デザイン) 宮平有紀子 (書道) 玉那覇峯子 (写真) 木村正男 (陶芸) 薗田稔 (漆芸) 國吉亮子 (染色) 外間裕子 (織物) 比嘉恵美子 (ガラス) 上地広明

第56回（2004年）

３月14日(日)～３月28日(日)まで15日間、浦添市民体育館で開催。浦添市長賞を７部門11ジャンルに出す。

〔陳列〕絵画153点、版画27点、彫刻21点、デザイン55点、

書道403点、写真117点、陶芸78点、漆芸17点、染色18点、織物30点、ガラス45点。合計964点
会員、準会員の推挙
〔会員〕（絵画）奥本静江（彫刻）與儀清孝（書道）砂川米市、渡名喜清（染色）外間修（織物）和宇慶むつみ（ガラス）稲嶺盛一郎
〔準会員〕（絵画）岸本ノブヨ（版画）友利一直（彫刻）濱元朝和、大城朝利（書道）宮里朝尊、村山典子、長浜和子（写真）島元智（陶芸）比嘉拓美（染色）仲松格（織物）大仲毬子（ガラス）大城尚也
〔準会員賞〕（絵画）奥本静江、佐久本米子、安富幸子（版画）知念秀幸（彫刻）玉栄広芳、與儀清孝（書道）神山律子、砂川米市、渡名喜清、比嘉安子、前田賢二（陶芸）新垣榮用（漆芸）真栄田静子（染色）許田史枝、外間修（織物）和宇慶むつみ（ガラス）稲嶺盛一郎
〔沖展賞〕（絵画）岸本ノブヨ（彫刻）濱元朝和（デザイン）上里綾（書道）宮里朝尊（写真）平良幸江（陶芸）比嘉拓美（漆芸）當眞茂（ガラス）大城尚也
〔奨励賞〕（絵画）波平栄宏、伊川治美、上原政則、宮里ユキ子、知念盛一（版画）安仁屋政汎、友利一直（彫刻）大城朝利、玉那覇英人（デザイン）長内聡、久高美保、諸見朝敬（書道）長浜和子、吉田優子、上原孝之、桑江恭子、松堂康子、松田征子、斎藤純子、村山典子、仲里徹、仲西雅江（写真）島元智、真栄田義和、前田貞夫（陶芸）新垣栄、佐渡山正光（染色）仲松格（織物）大仲毬子、新垣隆（ガラス）山下奈緒子、上原学
〔浦添市長賞〕（絵画）赤嶺美代子（版画）座間味良吉（彫刻）宮城忍（デザイン）具志堅千穂（書道）上原貴子（写真）副田保子（陶芸）照屋晴美（漆芸）高江洲瑩子（染色）具志七美（織物）真栄田洋子（ガラス）新崎盛史

第57回（2005年）

３月20日（日）～４月３日（日）まで15日間、浦添市民体育館で開催。浦添市長賞を７部門11ジャンルに出す。本年度より日本民藝協会賞を工芸部門から２ジャンルに出す。
〔陳列〕絵画150点、版画24点、彫刻28点、デザイン54点、書道408点、写真115点、陶芸76点、漆芸19点、染色25点、織物32点、ガラス40点。合計971点
会員、準会員の推挙
〔会員〕（彫刻）玉栄広芳（デザイン）諸見宣孝（書道）神山律子、前田賢二（写真）金城幸彦、佐久本政紀（ガラス）当真進
〔準会員〕（絵画）新城弘市郎（デザイン）幸喜訓（書道）新里智子、西澤恒子、松堂康子、吉田優子（陶芸）新垣健司、佐渡山正光（漆芸）照喜名朝夫
〔準会員賞〕（絵画）新垣正一、平川宗信（彫刻）玉栄広芳（デザイン）諸見宣孝（書道）上原幸子、神山律子、田名洋子、中村裕美、前田賢二、宮里朝尊（写真）金城幸彦、佐久本政紀（陶芸）新垣初子（染色）外間裕子（ガラス）当真進
〔沖展賞〕（絵画）冨名腰ヨシ子（彫刻）岩木詩緯子（デザイン）幸喜訓（書道）与那嶺典子（写真）翁長盛武（陶芸）新垣健司（織物）宮平トシ子
〔奨励賞〕（絵画）新川ヤス子、上原はま子、新城弘市郎、當間よしの、真栄田文子（版画）座間味良吉、宮里のぞみ（彫刻）宮里努（デザイン）島袋洋、諸見朝敬（書道）安里志乃、安里涼子、上原貴子、新垣敏子、新里明美、新里智子、西澤恒子、松堂康子、山里美代子、吉田優子（写真）渡嘉敷久美、真栄田義和、宮城和成（陶芸）新垣寛、佐渡山正光（漆芸）杉浦本信、照喜名朝夫（染色）宜保聡、比嘉孝子、宮城松子（織物）髙間えつ子、寺田紀子（ガラス）新崎盛史、上地広明、山下奈緒子
〔浦添市長賞〕（絵画）永島正（版画）平川良栄（彫刻）前川久栄（デザイン）泉川裕子（書道）伊野前喜美子（写真）岩城禮子（陶芸）新垣栄（漆芸）當眞茂（染色）宮城守男（織物）宜野座恵子（ガラス）東新川拓也
〔日本民藝協会賞〕（織物）仲宗根みちこ（ガラス）小野田郁子

第58回（2006年）

３月19日（日）～４月２日（日）まで15日間、浦添市民体育館で開催。浦添市長賞を７部門11ジャンルに出し、日本民藝協会賞を工芸部門から２ジャンルに出す。
〔陳列〕絵画137点、版画30点、彫刻25点、デザイン54点、書道410点、写真120点、陶芸85点、漆芸23点、染色21点、織物27点、ガラス43点。合計975点
会員、準会員の推挙
〔会員〕（絵画）知念秀幸（版画）新崎竜哉（彫刻）上原博紀（書道）中村裕美、比嘉千鶴子、比嘉安子（染色）外間裕子
〔準会員〕（絵画）伊川治美（書道）新里明美、与那嶺典子、大山美代子（写真）翁長盛武、真栄田義和、翁長達夫（漆芸）當眞茂（染色）津田かすみ
〔準会員賞〕（絵画）岸本ノブヨ、知念秀幸（版画）新崎竜哉、前田栄（彫刻）上原博紀（デザイン）幸喜訓、知念仁志（書道）運天雅代、長浜和子、中村裕美、比嘉千鶴子、比嘉安子（写真）島元智（陶芸）親川唐白（染色）外間裕子
〔沖展賞〕（絵画）上間彩花（版画）本村佳奈子（デザイン）崎浜秀浩（書道）新里明美（写真）翁長盛武（陶芸）松田共司（漆芸）當眞茂（染色）宮城守男
〔奨励賞〕（絵画）新川ヤス子、伊川治美、松田盛吉、宮里ユキ子（版画）座覇政秀、新屋敷孝雄（彫刻）本郷芳哉（デザイン）久高美保、島袋洋、本若博次（書道）安里志乃、上原貴子、大山美代子、島尚美、城間律子、髙江洲朝則、友利通子、豊平美奈子、松田征子、与那嶺典子（写真）岩城禮子、翁長達夫、真栄田義和（陶芸）金城吉彦、玉城望（漆芸）國吉亮子（染色）津田かすみ（織物）新垣隆（ガラス）小野田郁子、兼次直樹、東新川拓也
〔浦添市長賞〕（絵画）新崎多恵子（版画）波平栄宏（彫刻）上間美花（デザイン）大庭貴子（書道）新垣敏子（写真）津波古信行（陶芸）平良みどり（漆芸）上原保雄（染色）宜保聡（織物）比嘉恵美子（ガラス）喜屋武昌哲
〔日本民藝協会賞〕（陶芸）玉城若子（染色）具志七美

第59回（2007年）

３月18日(日)～４月１日(日)まで15日間、浦添市民体育館で開催。浦添市長賞を７部門11ジャンルに出し、日本民藝協会賞を工芸部門から２ジャンルに出す。

〔陳列〕絵画131点、版画27点、彫刻33点、デザイン51点、書道414点、写真128点、陶芸73点、漆芸20点、染色15点、織物35点、ガラス48点。合計975点

会員、準会員の推挙

〔会員〕（絵画）安富幸子（版画）知念秀幸（デザイン）知念仁志（書道）田名洋子（陶芸）親川唐白（漆芸）赤嶺貴子

〔準会員〕（絵画）上間彩花（彫刻）新垣盛秀（デザイン）島袋洋（書道）兼次律子、城間律子（写真）仲宗根直（陶芸）松田共司（織物）仲宗根みちこ

〔準会員賞〕（絵画）安富幸子（版画）知念秀幸、友利直（彫刻）大城朝利（デザイン）知念仁志、与那覇勉（書道）大山美代子、金城多美子、新里智子、田名洋子（写真）翁長盛武（陶芸）大宮育雄、親川唐白（漆芸）赤嶺貴子（染色）仲松格（織物）津波古信江

〔沖展賞〕（絵画）上間彩花（デザイン）平安啓乃（書道）兼次律子（写真）本若博次（織物）仲宗根みちこ（ガラス）喜屋武昌哲

〔奨励賞〕（絵画）池原優子、永島正、松田盛吉、与那嶺誠（版画）座間味良吉（彫刻）新垣盛秀、上間美花（デザイン）幸地のぞみ、島袋洋（書道）石川美智子、斎藤純子、城間律子、髙江洲朝則、友利通子、豊平美奈子、仲里徹、比嘉邦子、比嘉登美子（写真）大城光雄、仲宗根直（陶芸）玉城望、松尾暢生、松田共司（漆芸）杉野義則（染色）宜保聡、當山雄二（織物）大城哲、森吉奈津子（ガラス）照屋光則、東新川拓也、比嘉裕一

〔浦添市長賞〕（絵画）高野生優（版画）崎浜秀浩（彫刻）福地勲（デザイン）坪井季絵（書道）安里志乃（写真）森山ひろみ（陶芸）大城千秋（漆芸）高江洲瑩子（染色）具志七美（織物）桃原積子（ガラス）具志堅充

〔日本民藝協会賞〕（陶芸）城間裕（織物）中村澄子

第60回（2008年）

３月23日(日)～４月６日(日)まで15日間、浦添市民体育館(美術部門)・浦添市美術館(工芸部門)で開催。浦添市長賞を７部門11ジャンルに出し、日本民藝協会賞を工芸部門から２ジャンルに出す。

第60回記念「沖展」やんばる移動展が４月12日(土)～４月27日(日)まで16日間、名護21世紀の森体育館・名護市労働福祉センターで開催

〔陳列〕絵画147点、版画27点、彫刻33点、グラフィックデザイン48点、書芸387点、写真129点、陶芸80点、漆芸28点、染色36点、織物36点、ガラス54点。合計1005点

会員、準会員の推挙

〔会員〕（絵画）瑞慶山昇（版画）前田栄（グラフィックデザイン）玉城徳正（書芸）運天雅代、大山美代子、宮里朝尊（写真）翁長盛武（漆芸）糸数政次

〔準会員〕（絵画）池原優子、波平栄宏、松田盛吉（版画）安仁屋政汎（彫刻）宮里努（書芸）安里志乃、仲里徹、松田征子（写真）宮城和成、本若博次（陶芸）國場一（漆芸）國吉亮子（ガラス）東新川拓也

〔準会員賞〕（絵画）瑞慶山昇、山内盛博（版画）前田栄（グラフィックデザイン）玉城徳正（書芸）運天雅代、大山美代子、西蔵盛英雄、宮里朝尊（写真）翁長達夫、翁長盛武（陶芸）佐渡山正光（漆芸）糸数政次

〔沖展賞〕（絵画）池原優子（彫刻）玉那覇英人（書芸）島崎サダエ（写真）宮城和成（陶芸）國場一（ガラス）東新川拓也

〔奨励賞〕（絵画）新崎多恵子、波平栄宏、橋本弘徳、松田盛吉（版画）座覇政秀、平川良栄（彫刻）仲村真理子、宮里努（グラフィックデザイン）ウチマヤスヒコ、幸地のぞみ、藤井浩輔（書芸）安里志乃、新垣任紀、伊野前喜美子、下地めぐみ、仲里徹、比嘉邦子、松田征子、山里美代子（写真）稲福政吉、前田貞夫、本若博次（陶芸）小橋川弘、照屋晴美、仲村まさひろ（漆芸）國吉亮子、杉野義則（染色）城間栄市、平良香奈子、宮城守男、迎里勝（織物）安里啓子（ガラス）大城英世、兼次直樹、古村綾子、冨着博文

〔浦添市長賞〕（絵画）安里彰博（版画）安仁屋政汎（彫刻）小橋川剛右（グラフィックデザイン）本若博次（書芸）松川美智子（写真）中島脩（陶芸）当真裕爾（漆芸）大見謝恒雄（染色）大橋伸正（織物）比嘉瑠美子（ガラス）新崎盛史

〔日本民藝協会賞〕（染色）石田麗（ガラス）野原智

第61回（2009年）

３月22日(日)～４月５日(日)まで15日間、浦添市民体育館で開催。浦添市長賞を７部門11ジャンルに出す。

〔陳列〕絵画156点、版画28点、彫刻27点、グラフィックデザイン66点、書芸342点、写真132点、陶芸73点、漆芸25点、染色20点、織物35点、ガラス58点。合計962点

会員、準会員の推挙

〔会員〕（グラフィックデザイン）与那覇勉（書芸）山城篤男（陶芸）新垣初子

〔準会員〕（絵画）橋本弘徳（版画）仲本和子（グラフィックデザイン）幸地のぞみ（書芸）新垣敏子、高江洲朝則、友利通子、島崎サダエ、比嘉邦子（写真）前田貞夫（陶芸）玉城望（ガラス）新崎盛史

〔準会員賞〕（絵画）池原優子、松田盛吉（彫刻）仲里安広（グラフィックデザイン）与那覇勉（書芸）東恩納安弘、山城篤男、山城美智子（写真）真栄田義和（陶芸）新垣初子（織物）伊藤峯子

〔沖展賞〕（絵画）橋本弘徳（版画）仲本和子（グラフィックデザイン）幸地のぞみ（書芸）新垣敏子

〔奨励賞〕（絵画）阿彦良子、栗山ルリ子、玉木義勝、並里幸太（版画）波平栄宏、保志門繁（彫刻）仲村真理子（グラフィックデザイン）ウチマヤスヒコ、宮城隆史（書

芸）石原勝子、上門かおり、我部幸枝、島崎サダエ、高江洲朝則、友利通子、仲里満、比嘉邦子（写真）中島脩、平安山英義、前田貞夫、吉直新一郎（陶芸）金城博美、玉城望、名波均（漆芸）知念巽、森田哲也（染色）冝保聡、金城成子、新保瑞希、平良香奈子（織物）大城智海、宮城奈々（ガラス）新崎盛史、大城英世、小野田郁子、島津幸子

〔浦添市長賞〕（絵画）新崎多恵子（版画）下地敏一（彫刻）河原圭佑（グラフィックデザイン）奥間洋子（書芸）伊野前喜美子（写真）真栄田静子（陶芸）Nicholas Centala（漆芸）松田力（染色）名城松子（織物）鈴木隆太（ガラス）我謝良秀

第62回（2010年）

３月20日（土）～４月４日（日）まで16日間、浦添市民体育館で開催。浦添市長賞を７部門12ジャンルに出す。

〔陳列〕絵画143点、版画26点、彫刻32点、グラフィックデザイン51点、書芸327点、写真123点、陶芸69点、漆芸24点、染色21点、織物33点、ガラス50点、木工芸29点。合計928点

会員、準会員の推挙

〔会員〕（絵画）池原優子（書芸）西蔵盛英雄、東恩納安弘（写真）普天間直弘、翁長達夫

〔準会員〕（絵画）並里幸太、新崎多恵子（版画）座間味良吉（彫刻）仲村真理子、玉那覇英人（グラフィックデザイン）諸見朝敬、ウチマヤスヒコ（書芸）上原貴子、我部幸枝

〔準会員賞〕（絵画）池原優子、上間彩花（版画）安仁屋政汎（書芸）西蔵盛英雄、東恩納安弘、松堂康子（写真）翁長達夫、普天間直弘、前田貞夫（陶芸）玉城望（漆芸）照喜名朝夫（染色）許田史枝（織物）新里玲子（ガラス）東新川拓也

〔沖展賞〕（絵画）並里幸太（彫刻）河原圭佑（グラフィックデザイン）諸見朝敬（書芸）幸喜洋人（木工芸）宮国昇

〔奨励賞〕（絵画）新崎多恵子、玉寄貞子、豊里三智恵、眞榮田文子（版画）金城節子、座間味良吉（彫刻）倉富泰子、玉那覇英人、仲村真理子（グラフィックデザイン）ウチマヤスヒコ、山入端悠（書芸）上原善輝、上原貴子、我部幸枝、喜友名正子、仲宗根司、比嘉サエ子、與那城千恵子（写真）池田光敏、小鍋玉子、酒井利香、ハワンコビ・クリスィー（陶芸）新垣栄、下地葉子、西岡美幸（漆芸）兼次幸子、松田力（染色）大橋伸正、城間栄市、仲村由美（織物）島袋領子（ガラス）具志堅充、島袋信悟、當山みどり（木工芸）伊佐正、玄東哲、小波津朝春、戸眞伊擴

〔浦添市長賞〕（絵画）仲宗根美智子（版画）喜屋武信子（彫刻）知念盛一（グラフィックデザイン）與那覇綾（書芸）伊野前喜美子（写真）池原徳明（陶芸）内野正貴（漆芸）宮良千亜紀（染色）吉田誠子（織物）鈴木隆太（ガラス）喜納さくら（木工芸）兼次幸子

第63回（2011年）

３月19日（土）～４月３日（日）まで16日間、浦添市民体育館で開催。浦添市長賞を７部門12ジャンルに出す。

〔展示数〕絵画153点、版画23点、彫刻23点、グラフィックデザイン53点、書芸327点、写真120点、陶芸71点、漆芸25点、染色21点、織物38点、ガラス40点、木工芸22点。合計916点

会員、準会員の推挙

〔会員〕（絵画）新垣正一、佐久本米子（版画）友利直（書芸）上原幸子、長浜和子

〔準会員〕（彫刻）河原圭佑（書芸）島尚美（陶芸）新垣寛（染色）城間栄市（織物）宮城奈々（ガラス）比嘉裕一（木工芸）戸眞伊擴

〔準会員賞〕（絵画）佐久本米子、新垣正一（版画）友利直（グラフィックデザイン）ウチマヤスヒコ、諸見朝敬（書芸）幸喜石子、上原幸子、長浜和子（写真）仲宗根直（陶芸）松田共司

〔沖展賞〕（絵画）宮里昌信（彫刻）河原圭佑（グラフィックデザイン）瀬長洋一（書芸）島尚美（写真）小嶺朝子（陶芸）新垣寛（漆芸）前田栄（染色）城間栄市（織物）宮城奈々（ガラス）比嘉裕一（木工芸）戸眞伊擴

〔奨励賞〕（絵画）宮里友三、城間幸子、濵口真央、城間かよ子（版画）金城節子、座間味盛亮（グラフィックデザイン）沖田民行、小浜晋也、與那覇綾（書芸）比嘉徳史、金城ハル子、天久美津枝、石原勝子、渡慶次喜代美、石津陽子、仲宗根郁江（写真）渡久地政修、山内昌昭、東邦定（陶芸）仲村まさひろ、大石美智子（漆芸）前田春城、民徳嘉奈子（染色）迎里勝、城間あずき（織物）古屋英子、羽地美由希、普久原一恵（ガラス）冨着博文、松田豊彦（木工芸）奥間政仁、崎山里見、濱善裕

〔浦添市長賞〕（絵画）嵩原武子（版画）久場貫夫（彫刻）ニコラス・センタラ（グラフィックデザイン）仲里都貴江（書芸）豊平美奈子（写真）中島脩（陶芸）廣木弘一（漆芸）前田怜美（染色）仲村由美（織物）神谷あかね（ガラス）川満美佐子（木工芸）中林亮

第64回（2012年）

３月17日（土）～４月１日まで16日間、浦添市民体育館で開催。浦添市長賞を７部門12ジャンルに出す。学生を奨励する「沖縄教育出版賞」が新設される。

〔展示数〕絵画157点、版画26点、彫刻29点、グラフィックデザイン59点、書芸309点、写真119点、陶芸74点、漆芸27点、染色22点、織物38点、ガラス44点、木工芸22点。合計926点。

会員、準会員推挙

〔会員〕（絵画）上間彩花（書芸）山城美智子（陶芸）玉城望（織物）新里玲子（木工芸）戸眞伊擴

〔準会員〕（絵画）宮里昌信、山川さやか（書芸）上原孝之、幸喜洋人（漆芸）前田栄（染色）宮城守男（ガラス）冨着博文（木工芸）崎山里見

〔準会員賞〕（絵画）上間彩花（彫刻）河原圭佑（書芸）山城美智子、天久武和（陶芸）玉城望（染色）城間栄市（織物）新里玲子（ガラス）東新川拓也（木工芸）戸眞伊擴
〔沖展賞〕（絵画）宮里昌信（版画）座喜味盛亮（グラフィックデザイン）小浜晋也（書芸）上原孝之（写真）我喜屋明正（陶芸）石倉一人（漆芸）前田栄（木工芸）崎山里見
〔奨励賞〕（絵画）山川さやか、城間かよ子、金城清子、嵩原武子（版画）保志門繁、新屋敷孝雄（彫刻）都築康孝、小橋川剛右（グラフィックデザイン）沖田民行、大村郁乃、松嶋玲奈（書芸）幸喜洋人、伊野前喜美子、石津陽子、上門かおり、仲宗根郁江、上原千枝美（写真）原国政裕、池原徳明（陶芸）新垣智、田里博（漆芸）民徳嘉奈子、前田春城（染色）城間あずき、宮城守男（織物）鈴木隆太、花城美香（ガラス）冨着博文、岸本利恵子、下地真紀子（木工芸）當間孝、髙良康司、
〔浦添市長賞〕（絵画）釘本成行（版画）池城安武（彫刻）佐藤康司（グラフィックデザイン）佐久本邦華（書芸）島袋園子（写真）松門重雄（陶芸）松尾暢生（漆芸）兼次幸子（染色）山城あかね（織物）深石美穂（ガラス）寿紗代（木工芸）奥間政仁
〔沖縄教育出版賞〕（グラフィックデザイン）新城いのり（書芸）翁長沙季（写真）東優（陶芸）綿千里、

第65回（2013年）

３月23日（土）～４月７日（日）まで16日間、浦添市民体育館で開催。浦添市長賞、うるま市長賞を７部門12ジャンルに出す。学生を奨励する「沖縄教育出版賞」を出す。
〔展示数〕絵画153点、版画22点、彫刻32点、グラフィックデザイン53点、書芸285点、写真126点、陶芸68点、漆芸31点、染色27点、織物34点、ガラス49点、木工芸16点。合計896点
会員・準会員の推挙
〔会員〕（絵画）金城進（彫刻）河原圭佑（グラフィックデザイン）諸見朝敬（写真）島元智（陶芸）松田共司（染色）城間栄市
〔準会員〕（版画）新屋敷孝雄、保志門繁（グラフィックデザイン）沖田民行（書芸）豊平美奈子、仲宗根郁江（写真）渡久地政修（漆芸）民徳嘉奈子（織物）新垣隆（ガラス）松田豊彦（木工芸）當間孝
〔準会員賞〕（絵画）金城進（版画）座間味良吉（彫刻）河原圭佑、玉那覇英人（グラフィックデザイン）諸見朝敬（書芸）福原兼永、我部幸枝（写真）島元智（陶芸）松田共司（漆芸）當眞茂（染色）城間栄市、宮城守男（ガラス）大城尚也（木工芸）崎山里見
〔沖展賞〕（絵画）伊波則雄（彫刻）都築康孝（グラフィックデザイン）沖田民行（書芸）豊平美奈子（写真）渡久地政修（陶芸）伊志嶺達雄（漆芸）兼次幸子（織物）島袋領子（木工芸）當間孝
〔奨励賞〕（絵画）サンリー・ヨンツォー、砂川恵光、釘本成行、濵口真央（版画）保志門繁、新屋敷孝雄（彫刻）津波夏希、大城清久、吉田俊景（グラフィックデザイン）仲里都貴江、前田勇憲、中井結（書芸）喜友名正子、渡久地美佐子、田頭節子、仲宗根郁江、玉城笙子、島袋園子（写真）東邦定、永味節子、安次嶺まり子（陶芸）田里博、前原常男、大城幸男（漆芸）有馬るり子、民徳嘉奈子、津波静子（染色）仲本のな、道家良典、迎里勝（織物）鈴木隆太、新垣隆（ガラス）伊敷寛光、松田豊彦、松田将吾（木工芸）高良康司、普天間典子
〔浦添市長賞〕（絵画）城間かよ子（版画）座喜味盛亮（彫刻）小橋川剛右（グラフィックデザイン）島尻一成（書芸）松川美智子（写真）我喜屋明正（陶芸）大海陽一（漆芸）前田春城（染色）永吉剛大（織物）川村早苗（ガラス）友利龍（木工芸）金城久美子
〔うるま市長賞〕（絵画）知念盛一（版画）池城安武（彫刻）大塚泰生（グラフィックデザイン）中曽根靖（書芸）上門かおり（写真）吉直新一郎（陶芸）町田智彦（漆芸）長嶺一枝（染色）加治工摂（織物）吉浜博子（ガラス）宜保郁美（木工芸）濱善裕
〔沖縄教育出版賞〕（版画）仲宗根さつき（彫刻）平敷傑（グラフィックデザイン）井出灯音（書芸）神山郁子（写真）比嘉綏奈（陶芸）金城彩子

第66回（2014年）

３月22日（土）～４月６日（日）まで16日間、浦添市民体育館で開催。浦添市長賞、うるま市長賞を７部門12ジャンルに出す。学生を奨励する「沖縄教育出版賞」を出す。
〔展示数〕絵画153点、版画28点、彫刻35点、グラフィックデザイン54点、書芸282点、写真122点、陶芸67点、漆芸27点、染色20点、織物38点、ガラス48点、木工芸16点。合計890点
会員・準会員の推挙
〔会員〕（絵画）山内盛博（彫刻）玉那覇英人（グラフィックデザイン）ウチマヤスヒコ（染色）宮城守男（木工芸）崎山里見
〔準会員〕（絵画）伊波則雄、城間かよ子、知念盛一（グラフィックデザイン）中井結（書芸）上門かおり（写真）吉直新一郎（漆芸）大見謝恒雄
〔準会員賞〕（絵画）宮里昌信、山内盛博（彫刻）玉那覇英人（グラフィックデザイン）ウチマヤスヒコ（書芸）仲里徹、村山典子（漆芸）前田栄（染色）宮城守男（織物）仲宗根みちこ（ガラス）比嘉裕一（木工芸）崎山里見
〔沖展賞〕（絵画）伊波則雄（彫刻）津波夏希（グラフィックデザイン）中井結（書芸）上門かおり（写真）吉直新一郎（陶芸）町田智彦（木工芸）津波敏雄
〔奨励賞〕（絵画）金城惠美子、城間かよ子、知念盛一（版画）玉城研、又吉舞子（彫刻）玉城正昌、大城清久、

小橋川剛右（グラフィックデザイン）山里永作、吉田コマキ、島袋雅（書芸）金城ハル子、安座間賀子、神里和子、金城めぐみ、天久美津枝（写真）池原德明、兼島正、山内昌昭（陶芸）谷口室生、江口聡、玉城若子（漆芸）大見謝恒雄、大城文子（染色）迎里勝（織物）深石美穂、太幸恵、桃原積子（ガラス）村石信茂、岡部佳織、松田将吾（木工芸）奥間政仁、金城久美子、平良勇

〔浦添市長賞〕（絵画）砂川恵光（版画）久場貫夫（彫刻）平敷傑（グラフィックデザイン）仲里都貴江（書芸）呉屋純媛（写真）新城直美（陶芸）前原常男（漆芸）長嶺一枝（染色）野原＝仲本のな（織物）松尾由樹（ガラス）吉田栄美子（木工芸）濱善裕

〔うるま市長賞〕（絵画）仲宗根勇吉（版画）平川良栄（彫刻）神村吉次（グラフィックデザイン）城間アルベルト（書芸）田頭節子（写真）しんざとえいじ（陶芸）大海陽一（漆芸）上間利枝子（染色）瑞慶山和子（織物）花城美香（ガラス）友利龍（木工芸）親川勇

〔沖縄教育出版賞〕（グラフィックデザイン）松嶋玲奈（書芸）東江美優（陶芸）久保田千尋

第67回（2015年）

3月21日（土）〜4月5日（日）まで16日間、**浦添市民体育館**で開催。浦添市長賞、うるま市長賞を7部門12ジャンルに出す。学生を奨励する「沖縄教育出版賞」を出す。

〔展示数〕絵画148点、版画26点、彫刻30点、グラフィックデザイン55点、書芸250点、写真115点、陶芸67点、漆芸19点、染色21点、織物38点、ガラス44点、木工芸12点。計825点

会員・準会員の推挙

〔会員〕（絵画）宮里昌信（版画）座間味良吉（彫刻）仲里安広（書芸）我部幸枝（陶芸）大宮育雄（染色）仲松格（織物）仲宗根みちこ（ガラス）大城尚也

〔準会員〕（彫刻）大城清久（書芸）石津陽子（写真）東邦定、池原德明、山内昌昭（陶芸）田里博（染色）迎里勝（織物）鈴木隆太（木工芸）津波敏雄

〔準会員賞〕（絵画）伊波則雄、宮里昌信（版画）座間味良吉（彫刻）仲里安広（グラフィックデザイン）幸地のぞみ（書芸）兼次律子、我部幸枝（写真）渡久地政修、吉直新一郎（陶芸）大宮育雄（漆芸）大見謝恒雄（染色）仲松格（織物）仲宗根みちこ（ガラス）大城尚也

〔沖展賞〕（絵画）北山千雅子（彫刻）伊志嶺達雄（グラフィックデザイン）島尻一成（書芸）新垣恵津子（写真）東邦定（陶芸）田里博（織物）島袋知佳子（ガラス）我謝良秀（木工芸）金城修

〔奨励賞〕（絵画）金城恵美子、小波津健、砂川恵光（版画）池城安武、大城有紀子（彫刻）大城清久、玉城正昌（グラフィックデザイン）川平勝也、仲里都貴江、濵口真央（書芸）石津陽子、上原善輝、渡慶次喜代美、松川美智子（写真）池原德明、大川盛安、山内昌昭（陶芸）照屋晴美、町田智彦（漆芸）宇野里依子（染色）迎里勝（織物）鈴木隆太、能勢玲子（ガラス）古賀雄大、照屋大海（木工芸）平良勇、津波敏雄、與那嶺勝正

〔浦添市長賞〕（絵画）喜屋武信子（版画）比嘉れもん（彫刻）津波夏希（グラフィックデザイン）城間アルベルト（書芸）島袋園子（写真）天久ゆういち（陶芸）谷口室生（漆芸）津波靜子（染色）瑞慶山和子（織物）花城美香（ガラス）村石信茂（木工芸）親川勇

〔うるま市長賞〕（絵画）仲程悦子（版画）座喜味盛亮（彫刻）吉田俊景（グラフィックデザイン）山里永作（書芸）仲宗根司（写真）小出由美（陶芸）玉城若子（漆芸）大城清善（染色）平安山由美（織物）島袋領子（ガラス）比嘉奈津子（木工芸）奥間政仁

〔沖縄教育出版賞〕（版画）金城由季乃（グラフィックデザイン）比嘉恵万（書芸）國吉真吾

第68回（2016年）

3月19日（土）〜4月3日（日）まで16日間、**浦添市民体育館**で開催。浦添市長賞、うるま市長賞を7部門12ジャンルに出す。学生を奨励する「沖縄教育出版賞」を出す。

〔展示数〕絵画136点、版画28点、彫刻36点、グラフィックデザイン54点、書芸249点、写真124点、陶芸65点、漆芸16点、染色20点、織物28点、ガラス40点、木工芸11点。計807点

会員・準会員の推挙

〔会員〕（グラフィックデザイン）キムラロメオ、幸地のぞみ（書芸）金城多美子（写真）渡久地政修、吉直新一郎（漆芸）大見謝恒雄

〔準会員〕（絵画）砂川惠光、金城恵美子（彫刻）玉城正昌（グラフィックデザイン）大村郁乃（書芸）伊野前喜美子（織物）島袋知佳子、島袋領子（木工芸）奥間政仁

〔準会員賞〕（絵画）赤嶺広和、仲松清隆（版画）保志門繁（彫刻）大城清久、髙嶺善昇（グラフィックデザイン）キムラロメオ、幸地のぞみ（書芸）金城多美子、豊平美奈子（写真）渡久地政修、吉直新一郎（陶芸）新垣寛（漆芸）大見謝恒雄

〔沖展賞〕（絵画）仲程悦子（彫刻）玉城正昌（グラフィックデザイン）大村郁乃（書芸）伊野前喜美子（写真）國吉健郎（陶芸）宮國健二（漆芸）宇野里依子（織物）島袋知佳子（木工芸）金城久美子

〔奨励賞〕（絵画）金城恵美子、鈴木金助、砂川惠光（版画）池城安武、比嘉れもん（彫刻）伊志嶺達雄、鈴木一平（グラフィックデザイン）川平勝也、花城達紀、和田瑞希（書芸）田頭節子、仲宗根司、安座間賀子、小林好生（写真）砂川悦子、知念和範、仲間智常（陶芸）山城尚子、石倉一人（漆芸）長嶺一枝（織物）島袋領子（ガラス）古賀雄大、玉城晃（木工芸）奥間政仁

〔浦添市長賞〕（絵画）玉木義勝（版画）東亜紀（彫刻）平敷傑（グラフィックデザイン）仲里都貴江（書芸）謝名

平敷傑（グラフィックデザイン）仲里都貴江（書芸）謝名堂奈緒子（写真）花城雅孝（陶芸）新垣栄（漆芸）親泊英利（染色）宮城友紀（織物）能勢玲子（ガラス）當山みどり（木工芸）小橋川剛右
〔うるま市長賞〕（絵画）北山千雅子（版画）大山朝之（彫刻）津波夏希（グラフィックデザイン）吉田コマキ（書芸）當間秀美（写真）喜名朝駿（陶芸）伊志嶺達雄（漆芸）津波静子（染色）徳田佐和子（織物）吉本敏子（ガラス）照屋大海（木工芸）與那嶺勝正
〔沖縄教育出版賞〕（版画）金城由季乃（彫刻）翁長瞳（グラフィックデザイン）松田萌（書芸）比嘉優花（陶芸）門脇沙映

第69回（2017年）

3月18日（土）～4月2日（日）まで16日間、浦添市民体育館で開催。浦添市長賞、うるま市長賞を7部門12ジャンルに出す。学生を奨励する「沖縄教育出版賞」を出す。
〔展示数〕絵画146点、版画28点、彫刻40点、グラフィックデザイン51点、書芸261点、写真111点、陶芸62点、漆芸18点、染色19点、織物33点、ガラス25点、木工芸16点。合計810点
会員・準会員の推挙
〔会員〕（彫刻）大城清久（書芸）村山典子（写真）中山良哲、真栄田義和（陶芸）新垣寛
〔準会員〕（絵画）北山千雅子、鈴木金助、仲程悦子（版画）池城安武（彫刻）津波夏希（グラフィックデザイン）川平勝也、島尻一成、仲里都貴江、山里永作（書芸）金城めぐみ、渡慶次喜代美（陶芸）新垣栄（漆芸）宇野里依子（木工芸）與那嶺勝正
〔準会員賞〕（絵画）新崎多恵子、山川さやか（版画）仲本和子（彫刻）大城清久（書芸）村山典子、与那嶺典子（写真）中山良哲、真栄田義和（陶芸）新垣寛（染色）迎里勝（織物）島袋知佳子（木工芸）奥間政仁、津波敏雄
〔沖展賞〕（絵画）鈴木金助（版画）池城安武（彫刻）趙英鍵（グラフィックデザイン）川平勝也（書芸）渡慶次喜代美（写真）儀間生子（陶芸）当真裕爾（漆芸）宇野里依子（木工芸）與那嶺勝正
〔奨励賞〕（絵画）北山千雅子、鶴見伸、仲程悦子、（版画）大城有紀子（彫刻）津波夏希、平敷傑（グラフィックデザイン）島尻一成、仲里都貴江、山里永作（書芸）金城めぐみ、島袋園子、比嘉徳史、宮城みち子（写真）亀島重男、中村秀雄、花城雅孝（陶芸）新垣栄、山内徳光（漆芸）親泊英利（染色）宮城友紀（織物）崎原克友、平良京子、桃原積子（ガラス）友利龍、野原智、森上真（木工芸）漢那憲次、佐久川正次
〔浦添市長賞〕（絵画）赤嶺美代子（版画）東亜紀（彫刻）吉田香世（グラフィックデザイン）和田瑞希（書芸）仲宗根司（写真）國吉健郎（陶芸）石倉一人（漆芸）津波静子（染色）平良幸子（織物）玉城恵（ガラス）加藤周作（木工芸）小橋川剛右
〔うるま市長賞〕（絵画）サンリー・ヨンツォー（版画）城間弘文（彫刻）山本恭平（グラフィックデザイン）城間アルベルト（書芸）福原美枝（写真）喜名朝駿（陶芸）比嘉正徳（漆芸）與那嶺勝正（染色）知念冬馬（織物）野里愛子（ガラス）當山みどり（木工芸）野田洋
〔沖縄教育出版賞〕（絵画）新垣なつみ（版画）長山明菜（彫刻）鈴木一平（グラフィックデザイン）仲座萌香（書芸）仲間李子（写真）比嘉尚哉（陶芸）山内なつみ

第70回（2018年）

3月21日（水・祝）～4月8日（日）まで19日間、浦添市民体育館で開催。浦添市長賞、うるま市長賞を7部門12ジャンルに出す。学生を奨励する「e-no株式会社賞」を出す。
〔展示数〕絵画139点、版画24点、彫刻38点、グラフィックデザイン63点、書芸256点、写真106点、陶芸61点、漆芸20点、染色25点、織物35点、ガラス39点、木工芸20点。合計826点
会員・準会員の推挙
〔会員〕（版画）仲本和子（書芸）仲里徹（漆芸）照喜名朝夫（染色）迎里勝（木工芸）奥間政仁、津波敏雄
〔準会員〕（絵画）上原はま子（書芸）田頭節子（写真）仲間智常（織物）桃原積子（ガラス）森上真、兼次直樹
〔準会員賞〕（絵画）北山千雅子、並里幸太（版画）仲本和子（グラフィックデザイン）島尻一成（書芸）幸喜洋人、仲里徹、比嘉邦子（写真）東邦定（漆芸）宇野里依子、照喜名朝夫（染色）迎里勝（木工芸）奥間政仁、津波敏雄
〔沖展賞〕（絵画）與那覇勉（彫刻）翁長瞳（グラフィックデザイン）中曽根靖（書芸）仲舛由美子（写真）仲間智常（陶芸）山内徳光（ガラス）森上真（木工芸）波平敏弥
〔奨励賞〕（絵画）上原はま子、サンリー・ヨンツォー、比嘉博（版画）東亜紀（彫刻）趙英鍵（グラフィックデザイン）長谷川まさし、和田瑞希（書芸）上原千枝美、田頭節子、玉城笙子、知念一正（写真）親富祖勝枝、喜名朝駿、玉城律子（陶芸）谷口室生、山城尚子（漆芸）親泊英利（染色）大城はるか、瑞慶山和子、知念冬馬（織物）崎原克友、次呂久幸子、桃原積子（ガラス）兼次直樹、東恩納司、村石信茂（木工芸）瓜田一、勝連邦彦、野田洋
〔浦添市長賞〕（絵画）与那覇俊（版画）石垣亜実（彫刻）小橋川剛右（グラフィックデザイン）仲座萌香（書芸）山里昌輝（写真）豊里友行（陶芸）宮國健二（漆芸）大城清善（染色）宮城友紀（織物）天久奈津美（ガラス）我謝良秀（木工芸）比嘉亮太
〔うるま市長賞〕（絵画）嵩原武子（版画）座喜味盛亮（彫刻）平敷傑（グラフィックデザイン）山里美紀子（書芸）島袋園子（写真）与儀文夫（陶芸）小浜由子（漆芸）桃原教子（染色）深沢さやか（織物）金良美香（ガラス）

上地律子（木工芸）田里友一郎
〔e-no株式会社賞〕（絵画）仲宗根萌（版画）伊佐二葉（彫刻）丹羽正淳（グラフィックデザイン）比嘉健吾（書芸）上元優（写真）比嘉尚哉（陶芸）鈴木まこと（染色）赤嶺耕平（木工芸）浦崎翔太

第71回（2019年）

3月23日（土）～4月7日（日）まで16日間、ANA ARENA浦添（浦添市民体育館）で開催。浦添市長賞、うるま市長賞を7部門12ジャンルに出す。学生を奨励する「e-no株式会社賞」を出す。
〔展示数〕絵画134点、版画20点、彫刻39点、グラフィックデザイン62点、書芸269点、写真107点、陶芸56点、漆芸23点、染色28点、織物38点、ガラス44点、木工芸25点。合計845点
会員・準会員の推挙
〔会員〕（絵画）並里幸太（版画）保志門繁（グラフィックデザイン）島尻一成（書芸）与那嶺典子（陶芸）佐渡山正光（ガラス）比嘉裕一
〔準会員〕（絵画）サンリー・ヨンツォ、輿那覇勉（版画）座喜味盛亮（グラフィックデザイン）和田瑞希、中曽根靖（写真）國吉健郎（陶芸）石倉一人、仲村まさひろ、山城尚子（染色）冝保聡（ガラス）古賀雄大（木工芸）金城修、平良勇
〔準会員賞〕（絵画）城間かよ子、並里幸太（版画）保志門繁（グラフィックデザイン）大村郁乃、島尻一成（書芸）新里明美、与那嶺典子（写真）宮城和成（陶芸）佐渡山正光（漆芸）前田栄（ガラス）比嘉裕一（木工芸）當間孝
〔沖展賞〕（絵画）サンリー・ヨンツォ（書芸）伊禮かおる（写真）國吉健郎（陶芸）石倉一人（ガラス）友利龍（木工芸）川崎哲哉
〔奨励賞〕（絵画）鶴見伸、仁添まりな、輿那覇勉（版画）座喜味盛亮（彫刻）中澤将、平敷傑（グラフィックデザイン）棚原麻里奈、中曽根靖、和田瑞希（書芸）呉屋純媛、平良祥太、渡久地美佐子、東徳嶺輔（写真）亀島重男、宮良正子（陶芸）仲村まさひろ、山城尚子（漆芸）津波静子、西原郭行（染色）冝保聡、平良幸子、知念冬馬（織物）宇江城ヤス子、中村友美（ガラス）古賀雄大、松田英吉（木工芸）金城修、平良勇
〔浦添市長賞〕（絵画）城間文雄（版画）仲村梨亜（彫刻）翁長瞳（グラフィックデザイン）山里美紀子（書芸）上原千枝美（写真）新城直美（陶芸）宮國健二（漆芸）兼次幸子（染色）渡名喜裕生（織物）新門伊咲美（ガラス）池宮城翔（木工芸）小橋川剛右
〔うるま市長賞〕（絵画）嵩原武子（版画）大城有紀子（彫刻）安里充廣（グラフィックデザイン）玉城久美子（書芸）玉城笙子（写真）しんざとえいじ（陶芸）新垣優人（漆芸）森田哲也（染色）座波千明（織物）澤村佳世（ガラス）池宮城諄（木工芸）日比野雄也
〔e-no株式会社賞〕（絵画）宮城郁代（彫刻）酒井貴彬（書芸）久田玲緒奈（陶芸）大湾昇平（染色）坂本希和子（木工芸）上地春菜

第72回（2020年）

新型コロナウイルス感染症拡大防止のため中止。
3月21日（土）～4月5日（日）まで16日間、ANA ARENA浦添（浦添市民体育館）で開催を予定していた。浦添市長賞、うるま市長賞を12部門に出す。学生を奨励する「e-no株式会社賞」を出す。
〔当初展示予定数〕絵画133点、版画30点、彫刻34点、グラフィックデザイン51点、書芸276点、写真104点、陶芸54点、漆芸14点、染色26点、織物33点、ガラス22点、木工芸26点、合計803点
9月16日（水）～21日（月）まで6日間、タイムスホールで入賞作品74点を展示する特別展を開催した。
会員・準会員の推挙
〔会員〕（絵画）平川宗信（グラフィックデザイン）大村郁乃（漆芸）宇野里依子
〔準会員〕（書芸）安座間賀子、上原善輝、仲宗根司（織物）崎原克友（ガラス）我謝良秀、友利龍（木工芸）野田洋
〔準会員賞〕（絵画）サンリー・ヨンツォ、平川宗信（版画）座喜味盛亮（彫刻）新垣盛秀（グラフィックデザイン）大村郁乃（書芸）伊野前喜美子、我喜屋ヤス子（写真）國吉健郎（陶芸）石倉一人（漆芸）宇野里依子（織物）桃原積子
〔沖展賞〕（絵画）石川哲子（版画）遠藤仁美（書芸）仲宗根司（写真）宮良正子（織物）崎原克友（木工芸）屋部忠
〔奨励賞〕（絵画）浦田健二、國吉清、知名久夫（版画）比嘉莉々香（彫刻）翁長瞳、平良勇（グラフィックデザイン）棚原麻里奈、玉城祥大、山里美紀子（書芸）安座間賀子、上原善輝、金城久弥、仲村冴子（写真）蛯子渉、宮城悦子（陶芸）宮城真弓、宮國健二（漆芸）新城和也（染色）知念冬馬、永吉剛大（織物）金良美香、能勢玲子（ガラス）我謝良秀、友利龍（木工芸）野田洋、矢久保圭
〔浦添市長賞〕（絵画）仁添まりな（版画）安次嶺勝江（彫刻）小橋川剛右（グラフィックデザイン）大城愛香（書芸）渡久地美佐子（写真）宮城哲子（陶芸）嶺井律子（漆芸）西原郭行（染色）瑞慶山和子（織物）上原八重子（ガラス）松本栄（木工芸）川崎哲哉
〔うるま市長賞〕（絵画）与那覇俊（版画）小出由美（彫刻）吉田タカヨ（グラフィックデザイン）城間アルベルト（書芸）島袋園子（写真）知念和範（陶芸）金城英樹（漆芸）兼次幸子（染色）平良武（織物）福本理沙（ガラス）外間健太（木工芸）漢那憲次
〔e-no株式会社賞〕（絵画）小林実沙紀（版画）多和田菜七（彫刻）小林真理子（グラフィックデザイン）原田一貴（書芸）野原健斗（写真）小出由美（陶芸）上原真衣

（2021年）
新型コロナウイルス感染症の影響で、沖展の歴史で初の公募見送り。関連展として30-40代の会員、準会員33名が参加した「okitenU50－今こそ、アートのチカラ」と、47名の沖展会員が出品した作品商品の展示即売「沖展商店2021」を企画。9月17日（金）～26日（日）にタイムスビルで開催した。

第73回（2022年）
3月19日（土）～4月3日（日）まで16日間、ANA ARENA浦添（浦添市民体育館）で開催。浦添市長賞、うるま市長賞を12部門に出す。U20（16-19歳）、U30（20-29歳）の出品者を奨励する「e-no新人賞」を出す。
〔展示数〕絵画123点、版画20点、彫刻26点、グラフィックデザイン44点、書芸268点、写真76点、陶芸47点、漆芸19点、染色16点、織物24点、ガラス15点、木工芸17点、合計695点
会員・準会員の推挙
〔会員〕（版画）座喜味盛亮（書芸）比嘉邦子（写真）東邦定（織物）桃原積子
〔準会員〕（絵画）鶴見伸（彫刻）伊志嶺達雄（書芸）玉城笙子、仲舛由美子（陶芸）宮國健二（漆芸）前田春城（染色）知念冬馬
〔準会員賞〕（絵画）仲程悦子、與那覇勉（版画）座喜味盛亮（グラフィックデザイン）和田瑞希（書芸）上門かおり、比嘉邦子（写真）東邦定、仲間智常（織物）桃原積子（木工芸）與那嶺勝正
〔沖展賞〕（絵画）澤岻盛勇（グラフィックデザイン）山里美紀子（書芸）仲舛由美子（写真）平良正次（陶芸）宮國健二（漆芸）前田春城（織物）仲地洋子
〔奨励賞〕（絵画）赤嶺美代子、鶴見伸、仁添まりな（版画）安次嶺勝江（彫刻）池原芳昭、伊志嶺達雄（グラフィックデザイン）ヨウ・キイ、和宇慶茜（書芸）大田安子、上運天春菜、玉城笙子、仲村冴子（写真）幸喜あかり、諸見里安吉（陶芸）比嘉正徳、宮城真弓（漆芸）上江洲安龍（染色）知念冬馬、永吉剛大（織物）澤村佳世（ガラス）今井勝彦、外間健太（木工芸）屋宜政廣
〔浦添市長賞〕（絵画）西平賀雄（版画）遠藤仁美（彫刻）翁長瞳（グラフィックデザイン）城間アルベルト（書芸）知念一正（写真）國吉倖明（陶芸）新垣智（漆芸）嘉数翔（染色）平良幸子（織物）吉浜博子（ガラス）知念孝斉（木工芸）屋部忠
〔うるま市長賞〕（絵画）長谷川梨子（版画）新垣梨子（彫刻）平敷傑（グラフィックデザイン）工藤綾（書芸）山城千恵子（写真）砂川盛榮（陶芸）前原常男（漆芸）齋藤まい（染色）瑞慶山和子（織物）下田幸子（ガラス）上地律子（木工芸）當山全栄
〔e-no新人賞〕（絵画）佐藤ゆり（版画）多和田亜加梨（彫刻）酒井貴彬（書芸）知念遥（織物）與那嶺利菜

第74回（2023年）
3月18日（土）～4月2日（日）まで16日間、ANA ARENA浦添（浦添市民体育館）で開催。浦添市長賞、うるま市長賞を12部門に出す。U20（16-19歳）、U30（20-29歳）の出品者を奨励する「e-no新人賞」を出す。
〔展示数〕絵画116点、版画24点、彫刻30点、グラフィックデザイン48点、書芸266点、写真98点、陶芸59点、漆芸20点、染色19点、織物30点、ガラス17点、木工芸15点、合計742点
会員・準会員の推挙
〔会員〕（書芸）我喜屋ヤス子、新里明美（木工芸）與那嶺勝正
〔準会員〕（絵画）仁添まりな（グラフィックデザイン）棚原麻里奈（書芸）島袋園子（木工芸）屋部忠
〔準会員賞〕（絵画）砂川惠光、橋本弘德（グラフィックデザイン）川平勝也、中井結（書芸）我喜屋ヤス子、新里明美（漆芸）前田春城（織物）崎原克友（ガラス）友利龍（木工芸）與那嶺勝正
〔沖展賞〕（絵画）伊是名教子　（彫刻）　吉田タカヨ　（書芸）島袋園子　（写真）　山城和代　（陶芸）　上江洲史朗（織物）　中村友美（木工芸）屋部忠
〔奨励賞〕（絵画）　赤嶺愼次、澤岻盛勇、仁添まりな（版画）安次嶺勝江（彫刻）酒井貴彬、戴素貞　（グラフィックデザイン）　棚原麻里奈、ヨウ・キイ　（書芸）大田安子、金城久弥、謝名堂奈緒子、福原美枝（写真）玉城健次郎、屋嘉部景文（陶芸）新垣優人、当真英之（漆芸）西原郭行（染色）識名あゆみ（織物）我那覇ケイ子（ガラス）大城龍之介（木工芸）玉城正昌
〔浦添市長賞〕（絵画）比屋根清隆（版画）遠藤仁美（彫刻）仲村春孝（グラフィックデザイン）ウエズタカシ（書芸）知念一正（写真）名嘉久美子（陶芸）新垣安隆（漆芸）加堂勝久（染色）永吉剛大（織物）澤村佳世（ガラス）宮平由美子（木工芸）矢久保圭
〔うるま市長賞〕（絵画）石原美智子（版画）呉屋純子（彫刻）中澤将（グラフィックデザイン）大城愛香（書芸）呉屋純媛（写真）幸喜あかり（陶芸）照屋敏雄（漆芸）新城清枝（染色）坂本希和子（織物）能勢玲子（ガラス）外間健太（木工芸）稲嶺優子
〔e-no新人賞〕（絵画）前川麗香（版画）當間優衣（彫刻）安里小和（グラフィックデザイン）稲嶺優子（書芸）知念彩香（写真）平良有理佳（陶芸）藤吉海月

第75回（2024年）
3月23日（土）～4月7日（日）まで16日間、ANA ARENA浦添（浦添市民体育館）で開催。浦添市長賞、うるま市長賞を12部門に出す。U20（16-19歳）、U30（20-29歳）の出品者を奨励する「e-no新人賞」を出す。
〔展示数〕絵画115点、版画20点、彫刻33点、グラフィックデザイン40点、書芸264点、写真88点、陶芸68点、漆芸

16点、染色17点、織物21点、ガラス27点、木工芸15点、合計724点

会員・準会員の推挙

〔会員〕（絵画）橋本弘德、山川さやか（グラフィックデザイン）川平勝也（書芸）伊野前喜美子、上門かおり（漆芸）前田春城（織物）島袋知佳子、崎原克友（ガラス）友利龍

〔準会員〕（書芸）平良祥太、大田安子、仲村冴子（陶芸）宮城真弓

〔準会員賞〕（絵画）橋本弘德、山川さやか（版画）池城安武（グラフィックデザイン）川平勝也（書芸）伊野前喜美子、上門かおり（陶芸）竹本尚子（漆芸）前田春城（織物）島袋知佳子、崎原克友（ガラス）友利龍（木工芸）屋部忠、野田洋

〔沖展賞〕（絵画）伊是名教子（彫刻）吉田タカヨ（書芸）島袋園子（写真）山城和代（陶芸）上江洲史朗（織物）中村友美（木工芸）屋部忠

（絵画）比屋根清隆（彫刻）仲村春孝（グラフィックデザイン）和宇慶茜（書芸）平良祥太

（写真）知念和範（陶芸）佐渡山博子（漆芸）嘉数翔（木工芸）伊地優

〔奨励賞〕（絵画）八木洋子、石原美智子、澤岻盛勇（版画）遠藤仁美（彫刻）小泉ゆりか、中澤将（グラフィックデザイン）國吉駿之介、玉城祥大（書芸）呉屋純媛、大田安子、金城雅之、仲村冴子（写真）幸喜あかり、屋嘉部景文（陶芸）宮城真弓、伊志嶺達雄（漆芸）松崎森平（染色）平良幸子（織物）大濱真子、加藤幸乃恵、澤村佳世、仲地洋子（ガラス）宮平由美子（木工芸）玉城正昌、新里洋子

〔浦添市長賞〕（絵画）叶秀樹（版画）安次嶺勝江（彫刻）與那嶺勝正（グラフィックデザイン）大學恵理子（書芸）大城美季（写真）富原浩（陶芸）阿部繁夫（漆芸）石津陽子（染色）三浦敦子（織物）山城智子（ガラス）外間健太子（木工芸）小橋川剛右

〔うるま市長賞〕（絵画）与那覇俊（版画）新城善春（彫刻）小橋川剛右（グラフィックデザイン）又吉ちひろ（書芸）喜友名正子（写真）町田宗昭（陶芸）比嘉裕之（漆芸）齋藤まい（染色）藤﨑新（織物）小禄有美子（ガラス）仲榮眞鉄矢（木工芸）照屋盛人

〔e-no新人賞〕（絵画）城間キノネ（版画）新川絢音（彫刻）比嘉杏佳（グラフィックデザイン）嘉数颯太（書芸）余力百香（陶芸）藤吉海月（ガラス）今井勝彦（木工芸）幸地七海

会員・準会員名簿
会則

沖展会員・準会員名簿

絵画部門

会員 33人

赤嶺正則	池原優子	稲嶺成祚(休会)	ウエチヒロ
上間彩花(休会)	浦添健(休会)	大城譲	大浜英治
喜久村徳男(休会)	喜友名朝紀(休会)	金城進	金城幸也
具志恒勇	具志堅誓謹	佐久本伸光	佐久本米子
新垣正一	瑞慶山昇(休会)	砂川喜代	知念秀幸
鎮西公子	当山進(休会)	中島イソ子	並里幸太
治谷文夫	比嘉武史	比嘉良二	平川宗信
宮里昌信	安元賢治	山内盛博	与久田健一
與那嶺芳恵			

準会員 26人

赤嶺広和	新崎多恵子	いがわはるよし	伊波則雄
上原はま子	岸本ノブヨ	北山千雅子	金城恵美子
サンリー・ヨンツォ	城間かよ子	新城弘市郎	鈴木金助
砂川恵光	知念盛一	鶴見伸	仲里安広
仲程悦子	仲松清隆	仁添まりな	橋本弘徳
松田盛吉	宮里昌健	山川さやか	山城政子
山田武	與那覇勉		

版画部門

会員 15人

赤嶺雅	新崎竜哉	大久保彰	神山泰治
喜舎場正一	座喜味盛亮	座間味良吉(休会)	瑞慶山昇(休会)
知念秀幸(休会)	友利直(休会)	仲本和子	仲元清輝
比嘉良徳	保志門繁(休会)	前田栄	

準会員 2人

池城安武	新屋敷孝雄

彫刻部門

会員 15人

上原隆昭(休会)	上原博紀	上原よし	河原圭佑
喜名盛勝	具志堅宏清(休会)	玉榮広芳	玉那覇英人
知念良智	津波古稔(休会)	富元明雄(休会)	友知雪江
仲里安広	西村貞雄	與儀清孝	

準会員 9人

新垣盛秀	伊志嶺達雄	大城朝利	兒玉真理子
髙嶺善昇	玉城正昌	津波夏希	濱元朝和
宮里努			

グラフィックデザイン部門

会員 14人

ウチマヤスヒコ	大村郁乃(休会)	翁長自修(功労)	亀川康栄(休会)
岸本一夫	キムラロメオ	金城正司(休会)	幸地のぞみ(休会)
島尻一成	玉城徳正	知念秀幸(休会)	知念仁志
宮城保武(功労)	諸見朝敬(休会)		

準会員 12人

大城康伸	沖田民行	川平勝也	平良均
棚原麻里奈	中井結	仲里都貴江	中曽根靖
仲本京子	山里永作	山田英夫	和田瑞希

書芸部門

会員 40人

東江順子	安里牧子	新城弘志	上原幸子(休会)
上原彦一(功労)	運天雅代	大城武雄	大城稔
大山美代子	我喜屋明正	我喜屋ヤス子	我部幸枝
神山律子	金城多美子(休会)	小杉紘子	砂川米市
新里明美	砂川榮	髙良房子(休会)	田名洋子
茅原善元	渡名喜清	名嘉喜美	仲里徹
長浜和子	仲村信男	中村裕美	仲本清子
西蔵盛英雄	比嘉邦子	比嘉良勝	東恩納安弘
前田賢二	眞喜屋美佐	宮里朝尊	村山典子
盛島高行	山城篤男	山城美智子	与那嶺典子

準会員 36人

安座間賀子	天久武和	石津陽子	伊野前喜美子
上門かおり	上地徹	上原善輝	上原貴子
上原孝之	上間志乃	兼次律子	金城めぐみ
幸喜右子	幸喜洋人	島尚美	島崎サダエ
島袋園子	城間律子	新里智子	髙江洲朝則
田頭節子	玉城笙子	渡慶次喜代美	友利通子
豊平美奈子	仲宗根郁江	仲宗根司	仲舛由美子
西澤恒子	福原兼永	松田征子	松堂康子
宮城政夫	與久田妙子	吉里恒貞	
吉田優子			

写真部門

会員 11人

東　邦定　大城信吉　翁長達夫　翁長盛武
島元　智　渡久地政修　中山良哲　普天間直弘(休会)
真栄田義和　山川　元亮(功労)　吉直新一郎

準会員 13人

池原徳明　石垣永精　上地安隆　金城棟永
國吉健郎　平良正己　豊島貞夫　仲宗根直
仲間智常　平井順光　前田貞夫　宮城和成
本若博次

陶芸部門

会員・審査員 15人

新垣　修　新垣　寛　大宮育雄(休会)　親川唐白
小橋川昇(休会)　佐渡山正光　島　常信(功労)　島袋常一(功労)
島袋常栄　島袋常秀　玉城　望　松田共司
宮城篤正(功労)　山田真萬(休会)　湧田　弘

準会員 13人

新垣健司　新垣　栄　石倉一人　伊禮クニヲ
大林達雄　金城定昭　國場　一　高江洲康次
竹本尚子　仲村まさひろ　比嘉拓美　宮國健二
山内米一

漆芸部門

会員 9人

糸数政次　宇野里依子　大見謝恒雄　金城唯喜(功労)
後間義雄　照喜名朝夫　前田國男　前田貴子
松田　勲

準会員 6人

國吉亮子　當眞　茂　前田　栄　真栄田静子
前田春城　民徳嘉奈子

染色部門

会員 9人			
城間栄市	城間栄順（休会）	玉那覇道子（功労）	玉那覇有公（功労）
仲松　格	外間　修	外間裕子	宮城守男
迎里　勝			

準会員 5人			
宜保　聡	許田史枝	知念冬馬	渡名喜はるみ
仲吉委子			

織物部門

会員 10人			
新垣幸子	糸数江美子	大城一夫	祝嶺恭子
新里玲子	多和田淑子	桃原禎子	長嶺亨子（休会）
真栄城興茂	和宇慶むつみ		

準会員 9人			
伊藤峯子	大仲毬子	崎原克友	島袋知佳子
島袋領子	新垣　隆	鈴木隆太	津波古信江
宮城奈々			

ガラス部門

会員・審査員 9人			
池宮城善郎	泉川寛勇（休会）	稲嶺盛一郎	大城尚也（休会）
末吉清一	平良恒雄	当真　進（休会）	比嘉裕一（休会）
宮城篤正（功労）			

準会員 9人			
新崎盛史	我謝良秀	兼次直樹	古賀雄大
友利　龍	東新川拓也	冨着博文	松田豊彦
森上　真			

木工芸部門

会員・審査員 5人			
奥間政仁	與那嶺勝正	崎山里見（休会）	戸眞伊擴（休会）
西村貞雄			

準会員 5人			
金城　修	平良　勇	當間　孝	野田　洋
屋部　忠			

※氏名五十音順、敬称略
※（功労）は沖展会則第15条、（休会）は同第13条による。
2024年3月1日現在

沖　展　会　則

第一章　名 称

第１条　この会は「沖展」と称し、沖縄タイムス社がこれを主催する。沖縄タイムス社の代表取締役が「沖展会長」に就く。

第二章　目的及び活動

第２条　この会は、「沖展」の展覧会活動を主軸として現代美術工芸の創造発展につとめる。この目的のために次のことを行う。
① 春季に公募展「沖展」を開催する。
② 優秀な新人の推奨につとめる。
③ この目的のために必要あるときは、他の団体、機関と協力する。

第三章　方 針

第３条　沖展は、その伝統と歴史的な歩みのうえに各自の作品傾向を尊重し、その進展を期して運営される。

第四章　構 成

第４条　沖展は、絵画・版画・彫刻・グラフィックデザイン・書芸・写真・陶芸・漆芸・染色・織物・ガラス・木工芸の 12 部門で構成する。
第５条　会の運営を円滑にするため、「会員総会」と「運営委員会」「企画委員会」を設ける。

第五章　会員・準会員

第６条　会員・準会員を各部門におき、その数については定めない。
第７条　会員は、準会員中より推挙することを原則とする。推挙は、沖展審査終了後会員の合議によって行われる。会員は沖展の目的に賛同し、事業の円滑な実施に協力する。入会時に意思確認する。
第８条　準会員は一般出品者中より推挙される。推挙は、会員推挙と同時に会員の合議によって行う。
第９条　会員は準会員賞を２回以上、準会員は沖展賞を２回以上受賞した者を対象とし、奨励賞の受賞回数及び特別の推挙も考慮することができる。
第 10 条　会員・準会員は未発表の主要作品を沖展に出品し、又この会の維持運営に協力する。会員は沖展運営における沖展会員活動のため、年会費（20,000 円）を納める。年会費を２年以上滞納した場合は会員の資格を失うことがある。
第 11 条　会員・準会員は、希望意見を運営委員（部会長）に具申することができる。
第 12 条　客員・会員死去のときは、沖展会場に主要遺作を陳列することができる。陳列の場合、展示法、点数はそのつど企画委員会が協議する。
第 13 条　沖展に連続２回に亘って不出品を続ける会員・準会員は、その理由を運営委員会に知らさなければならない。また、長期療養などやむを得ない事情がある場合は、休会届を沖展事務局に提出し、会員総会の承認を得なければならない。休会中は会費を免除する。退会を希望する会員は退会届を提出する。
第 14 条　会員・準会員のうちに、会の名誉を損なう不適当な行為のあったときは、運営委員会はこれを審議し、該当者に対し除名又は適宜の処置をとる。
第 15 条　功労会員を置く。会員に推挙後 25 年以上経過、もしくは沖展に功労があったもので、出品が難しくなった会員を対象とする。功労会員は運営委員会で決定し、会員総会で承認する。功労会員は会費を免除する。

第六章　運営委員会・部会

第 16 条　運営委員会は、各部門から選出された部会長 12 名と、運営委員長１名、事務局長１名をもって構成する。部会長が出席できない場合、副部会長（各部会それぞれ若干名置くことができる）が代理として参加できる。
第 17 条　運営委員長は、沖縄タイムス社読者局長がこれに当たり、運営を統括する。運営副委員長２名は運営委員長が部会長の中から委嘱し、委員長を補佐する。
第 18 条　運営委員会は、以下の事項について審議する。運営委員会が開催できない状況にあるとき、運営委員の過半数が書面または電磁的方法で議案について同意の意思表示をしたときは、その議案について決定があったものとみなす。
① 沖展の運営について
② 会員・準会員の退会・除名の取り扱い（会員総会にて承認）
③ 事業計画の作成（会員総会にて承認）
④ 審査方針基本案の作成（審査委員長へ提案）
⑤ その他会員総会への提案事項
第 19 条　運営委員はそれぞれの所属部門の運営に当たる。
第 20 条　部会は、各部門とも運営委員の部会長と副部会長、会員で構成し、部内の調整を図りながら自主的に運営する。
第 21 条　運営委員の任期は２年とし、部会において各部で選出する。再任を妨げない。

第七章　企画委員会

第 22 条　企画委員会は、企画委員長と各部門の会員より選出される委員で構成する。
第 23 条　企画委員長は事務局長がこれを兼ね、必要に応じ企画委員会を招集する。
第 24 条　企画委員は、定例的に「沖展」を企画し、その推進と、運営の円滑をはかる。「沖展」の事業計画案を審議する。その他「沖展」会期中に処理すべき事項に当たる。企画委員会が開催できない状況にあるとき、過半数の企画委員が書面または電磁的方法で議案について同意の意思表示をしたときは、その議案について決定があったものとみなす。

第25条　企画委員会は､欠席した部門に関する事項の決議は行わない。又委員の出席数が委任状を含めて定数の過半数に至らないときは、協議の決定は行わない。
第26条　企画委員会は、会員・準会員の中から下の係を若干名ずつ委嘱し、「沖展」運営の円滑をはかる。
① 搬入、搬出係（作品の保護管理の指導を担当する）
② 審査係（審査の進行、記録、入選通知、発表等を担当する）
③ 図録作成係（沖展図録の編集及びデザインを担当する）
④ 会場構成係（沖展会場内外及び周辺の構成を担当する）
⑤ 受賞係（賞状、賞品等の準備、作成を担当する）
⑥ 懇親会係（贈呈式、懇親会の運営を担当する）
⑦ 推挙事務係（被推挙者の資料作成を担当する）
⑧ PR係（報道対策、沖展盛り上げ企画等を担当する）
第27条　企画委員の定数は、絵画3、版画2、彫刻2、グラフィックデザイン2、書芸3、写真2、陶芸1、漆芸1、染色1、織物1、ガラス1、木工芸1名、計20名とする。
第28条　企画委員の任期は2年とし、部会において各部で選出する。再任を妨げない。

第八章　審査及び陳列

第29条　公募作品は会員がその審査に当たる。
第30条　審査委員長は運営委員長がこれに当たる。
第31条　審査委員長は、運営委員会の協議による基本案をもとに審査方針をたて、審査を主導する。又審査を円滑に運ぶための決定権をもつ。
第32条　① 作品の陳列は、各部門から部門別の陳列委員長を選出して行う。
② 陳列委員長は、各部門審査会終了と同時に選出する。
③ 陳列は各部門陳列委員長の下に、若干名の陳列委員をおいて行う。陳列委員は、陳列委員長の意向を参酌の上、会員・準会員の中から、審査会の席上で決める。
④ 陳列は陳列委員長の責任にて行う。

第九章　顧問及び客員

第33条　本会の維持と発展に功績のあった人を顧問又は客員として置くことができる。

第十章　賛助会員

第34条　本会に賛助会員を置くことができる。
第35条　賛助会員は運営委員会によって推挙されたもので、沖展に招待出品することができる。

第十一章　会員総会

第36条　会員総会は、沖展会員をもって構成し、毎年1回開催する。但し、必要がある時に臨時会員総会を開催することができる。
第37条　会員総会の議長は、沖展会長がこれに当たる。
第38条　会員総会は、以下の事項について承認する。
①「運営委員会」や「企画委員会」で審議した決定事項
② 会則の改正
③ 事業計画・募集要項
④ 運営委員・企画委員
⑤ その他、会の運営に関する重要な事項
第39条　会員総会は会員の過半数の出席（書面または電磁的方法による委任状を含む）をもって成立する。また会員総会が開催できない状況にあるとき、会員の過半数が議案について書面または電磁的方法で同意した場合は、会員総会で承認があったものとみなす。

第十二章　事務局

第40条　事務局を沖縄タイムス社読者局文化事業本部に置く。
第41条　事務局長を置き、沖縄タイムス社読者局文化事業本部長がこれに当たる。

第十三章　補則

第42条　この会則に定めのない事項は、会員総会の承認を経て沖展会長が別に定める。
第43条　この会則を実施するために、運営内規を定めることができる。運営内規は各部会または必要に応じて運営委員会で決定し、沖展会長の承認を得て実施する。

1. 本会則は1971年2月9日より実施する。
2. 1984年4月3日改正
3. 1986年12月2日改正（第4条、第25条）
4. 2017年9月2日改正（第16条、第25条）
5. 2020年2月1日改正（第1条、第2条、第4条、第5条、第8条、第9条、第11条、第12条、第15条、第16条、第17条、第18条、第19条、第20条、第21条、第22条、第23条、第24条、第25条、第26条、第27条、第28条、第29条、第30条、第31条、第32条、第33条、第34条、第35条、第36条、第37条、第38条、第39条、第40条、第41条、第42条）
6. 2020年10月25日改正（第17条、第23条、第37条、第38条）
7. 2021年8月13日改正（第7条、第10条、第13条、第15条、第16条、第17条、第18条、第19条、第20条、第21条、第22条、第23条、第24条、第25条、第26条、第27条、第28条、第29条、第30条、第31条、第32条、第33条、第34条、第35条、第36条、第37条、第38条、第39条、第40条、第41条、第42条、第43条）

協賛企業

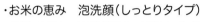

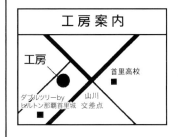

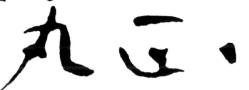

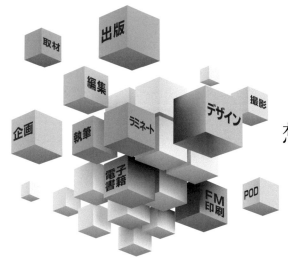

第75回　沖展図録

定 価（本体 1,364円+税）

■発行日：2024年３月23日
■印　刷：株式会社 東洋企画印刷

発行　沖縄タイムス社事業局文化事業部

ISBN978-4-87127-315-2

●主　催　沖縄タイムス社
●協　力　浦添市・浦添市教育委員会
●協　賛　オリオンビール(株)・e-no(株)
沖縄食糧(株)・(株)かりゆし
光文堂コミュニケーションズ(株)
●後　援　沖縄県・沖縄県教育委員会・琉球放送
琉球朝日放送・ＮＨＫ沖縄放送局
エフエム沖縄
●企画協力　日本トランスオーシャン航空(株)

■表紙デザイン：知念　仁志
■沖展ロゴタイプデザイン：宮城 保武・我喜屋 明正
■写真撮影：LaLa Film's（ララフィルム）

この印刷物は個人情報保護マネジメントシステム
（プライバシーマーク）を認証された事業者が印刷しています。

【図録協力】
比嘉　良二　金城　幸也　上原　よし　友知　雪江
島尻　一成　運天　雅代　砂川　米市　前田　賢二
中山　良哲　真栄田義和　外間　修　外間　裕子
宮城　守男　真栄城興茂　和宇慶むつみ

【編 集】
與那原良彦　美里　睦　仲程　香野

【編集補助】
内間美由紀　田畑　椋治